Un siècle de symphonie à Québec

Bertrand Guay

# Un siècle de symphonie à Québec

## L'Orchestre symphonique de Québec 1902-2002

COMMISSION DE
LA CAPITALE
NATIONALE

Québec

SEPTENTRION

*L'auteur tient à remercier les personnes suivantes
de leur exceptionnelle collaboration à l'ouvrage:*

Les musiciens, la direction, l'administration, les bénévoles et l'ensemble du personnel de l'OSQ, René Baillargeon, Edwin et Madeleine Bélanger, Claude Bélanger, Luc Bellemare, Gabrielle Bisson-Poisson, Aline Bisson-Smith, Jeanne D'Arc Boissonneault et Lan Tran des Archives du Séminaire de Québec, Richard Boisvert, Victor Bouchard et Renée Morisset, Juliette Bourassa-Trépanier, Michel Cloutier du Nouvelliste, Richard Cloutier, Murielle Coutu des ANQ à Trois-Rivières, Henri Dorion, Mélanie Dorion et Claire Tremblay de la Bibliothèque du Conservatoire de musique de Québec, Josette Dussault, Viviane Émond, Dominique Gagné, Claudine Gagnon du *Soleil*, Denise Gervais, Bernard Gilbert, Marie-Claude Guay, Bruno Hébert, Réal Joly, Evelyn Kedl, Gaétan Laberge, Annette Lachance, Marcelle Lacroix, Corinne Lagarde-Lesage, Louise Laplante, Jacqueline Larochelle, Jeannette LeBlanc, Marielle LeBlond, Marc-André Leclerc du Centre d'archives de Québec, Marielle Leroux de l'OSM, François et Madeleine Magnan, Gabrielle Magnan-Hamel, Renée Maheu, Serge Masson, Jacques Morin et l'ensemble du personnel des Archives nationales du Québec à Québec, Pierre Morin, Frédéric Murray, Maureen Nevins de la Bibliothèque nationale du Canada, Gilles Ouellet, Jocelyn Paquet, Clermont Pépin, Claude-Antoine Picard, Georgette Plamondon, Céline Poirier-Blanchard, Jean-Louis Rousseau, Christiane Saint-Pierre du *Nouvelliste*, Marc Samson, Jacques Simard, Phyllis Smith du Musée du Québec, Sœur Marie Talbot, Barbara Todd-Simard, Jeanne Vézina-Girard et Jean-Marie Villeneuve ainsi que toutes les personnes qui ont contribué à la réalisation de cet ouvrage.

### Illustrations de la couverture

*Yoav Talmi*: photo Camirand

*Photo de gauche dans la portée*: Archives nationales du Québec, Québec, fonds P 718;
*Photo du centre*: Jean-Louis Rousseau (photo Jean-Marie Villeneuve, *Le Soleil*);
*Photo de droite*: ANQ, Québec, fonds P 519 (photo Feature Four Ltd. Toronto).

Le manuscrit musical de la couverture, également reproduit ailleurs dans cet ouvrage, est un extrait du *Fétiche* de Joseph Vézina, Bibliothèque du Conservatoire de musique de Québec, fonds Joseph-Vézina.

*2e de couverture*: La Société symphonique dirigée par Joseph Vézina en 1908, ANQ, Québec, fonds P 519.

*3e de couverture*: L'Orchestre symphonique de Québec dirigé par Yoav Talmi en 2002, photo Camirand.

*4e de couverture*: photo Kedl

Dépôt légal – 3e trimestre 2002
Bibliothèque nationale du Québec
ISBN 2-89448-330-9

### Commission de la capitale nationale du Québec

Coordination de l'édition: Hélène Jean et Lucille Lord
Direction des publications: Denis Angers
Révision: Christel Veyrat

525, boulevard René-Lévesque Est
Québec (Québec) G1R 5S9
Téléphone: (418) 528-0773
Sans frais: 1 800 442-0773
Télécopieur: (418) 528-0833
Courriel: commission@capitale.gouv.qc.ca
Internet: www.capitale.gouv.qc.ca

### Les éditions du Septentrion

Chargé de projet: Gilles Herman
Correction d'épreuves: Solange Deschênes

Les éditions du Septentrion remercient le Conseil des Arts du Canada et la Société de développement des entreprises culturelles du Québec (SODEC) pour le soutien accordé à leur programme d'édition, ainsi que le gouvernement du Québec pour son Programme de crédit d'impôt pour l'édition de livres. Nous reconnaissons également l'aide financière du gouvernement du Canada par l'entremise du Programme d'aide au développement de l'industrie de l'édition (PADIÉ) pour nos activités d'édition.

1300, avenue Maguire
Sillery (Québec) G1T 1Z3
Télécopieur: (418) 527-4978
Courriel: sept@septentrion.ca
Internet: www.septentrion.qc.ca

### Conception et réalisation graphique

Bleu Outremer design graphique
Internet: www.bleuoutremer.qc.ca

### Diffusion au Canada:

Diffusion Dimedia
539, boul. Lebeau
Saint-Laurent (Québec)
H4N 1S2

### Diffusion en Europe:

Librairie du Québec
30, rue Gay-Lussac
75005 Paris

# PRÉFACE

Un siècle! Cent années de présence ininterrompue à Québec. D'abord sous le nom de *Société symphonique* et, depuis 1942, sous celui d'*Orchestre symphonique de Québec*. Une formation musicale qui, comme toute institution, a connu ses grandeurs et ses misères, ses inerties et ses révolutions, ses petits crus et ses grands soirs. Mais, de tout temps, animée par des musiciens jouant avec ferveur, des bénévoles au cœur large et des administrateurs soucieux de concilier création artistique et équilibre financier. Vaisseau amiral de la vie culturelle à Québec, l'Orchestre symphonique de Québec a, comme une belle et longue conversation, traversé le XXe siècle.

Un centenaire mérite d'être souligné. Celui de l'OSQ le sera tout au long de la saison 2002-2003 pour rappeler que c'est la première formation symphonique du Canada à franchir ce cap. La Commission de la capitale nationale du Québec est heureuse de s'associer à monsieur Bertrand Guay ainsi qu'à la maison d'édition Le Septentrion pour parcourir un siècle de symphonie à Québec dans un livre de belle facture rappelant de l'Orchestre symphonique de la capitale nationale la mémoire de ses chefs, de ses musiciens, de ses solistes invités, de ses programmes, des salles où il s'est produit et des coups de cœur qu'il a provoqués.

Dirigé par dix chefs titulaires, l'OSQ a accueilli les plus grands solistes de leur époque, toutes catégories confondues. En parcourant l'ouvrage, on verra surgir le décor de l'Auditorium, devenu en 1919 le Théâtre Capitole, le Palais Montcalm et le Grand Théâtre de Québec, les trois salles qui, à elles seules, incarnent un siècle de symphonie dans la capitale nationale. En un siècle, bien des choses ont changé dans la vie de l'OSQ. Hier, ses musiciens jouaient pour leur plaisir; aujourd'hui, la musique est leur profession. Hier, sa programmation annuelle comptait quatre concerts; aujourd'hui, elle en offre plus d'une trentaine. Hier, l'Orchestre rassemblait une trentaine de musiciens; aujourd'hui, il en réunit près de soixante-dix. Au-delà de cette croissance presque normale et de la qualité artistique qui en a forcément résulté, ce qu'il faut saluer c'est la continuité de l'œuvre et la constance qui a permis aux citoyens, aux musiciens et aux mélomanes de Québec de profiter d'une vie musicale féconde.

Merci, OSQ, pour le siècle écoulé! Bonne chance pour le siècle naissant!

Pierre Boucher

Ce livre dévoile 100 ans de musique symphonique à Québec. Page après page, il nous raconte en mots et en images l'histoire du plus ancien orchestre au Canada ; la lutte d'un ensemble, non seulement pour survivre et prospérer, mais pour servir son milieu avec la meilleure musique classique et symphonique.

Aujourd'hui, l'Orchestre symphonique de Québec est la pierre angulaire de la vie musicale de la capitale du Québec : un ensemble artistique très sophistiqué, qui se produit devant un public enthousiaste, avec une verve et un engagement de tous les instants. La musique, nous le croyons, apporte réconfort et consolation à nos âmes et esprits. C'est là notre mission.

Je suis fier et reconnaissant de l'occasion qui m'est donnée de diriger cet orchestre remarquable dans sa saison du centenaire.

Yoav Talmi
Directeur artistique et chef d'orchestre

# AVANT-PROPOS

Jamais je n'oublierai ce moment. J'avais 16 ans, j'étais assis au centre du quatrième rang de la Salle Louis-Fréchette du Grand Théâtre de Québec. D'un geste précis, James DePreist attaqua la *Symphonie n° 23* de Mozart. Aussitôt, une machine humaine admirable, parfaitement réglée, se mit en marche et redonna vie à une partition vieille de 200 ans. Spontanément, mon visage s'illumina d'un sourire émerveillé. La musique symphonique venait d'entrer dans mon existence. Quelle découverte ce fut! Et je la dois à l'OSQ, un ensemble magnifique auquel j'ai le grand privilège d'être associé comme rédacteur des notes de programmes depuis plus d'une décennie.

Au terme d'un premier siècle de symphonie — dans la ville patrimoniale par excellence — l'histoire, ou, mieux, la vie de l'OSQ méritait d'être racontée. Pour bien m'en pénétrer, j'ai écumé les différents fonds d'archives liés à l'orchestre (Archives nationales du Québec, Séminaire, Conservatoire de musique ainsi que les celles de l'OSQ lui-même) où j'ai puisé l'essentiel des informations contenues dans cet ouvrage. Les citations qu'on trouvera dans les pages qui suivent sont essentiellement tirées de cette riche documentation. J'ai aussi été amené à consulter de nombreux témoins directs ou indirects, depuis les petits-enfants de Joseph Vézina, premier chef, jusqu'à certains musiciens et administrateurs actuels qui, unanimement, m'ont soutenu dans ce projet. Qu'ils en soient sincèrement remerciés. Qu'il me soit permis, en particulier, d'exprimer ma reconnaissance envers M. François Magnan, ancien directeur général de l'orchestre, qui s'est montré d'une immense générosité à mon égard, tant par ses encouragements que par les renseignements inappréciables qu'il m'a communiqués. Sans lui, ce livre aurait eu un autre visage.

Longue vie à l'Orchestre symphonique de Québec.

Bertrand Guay

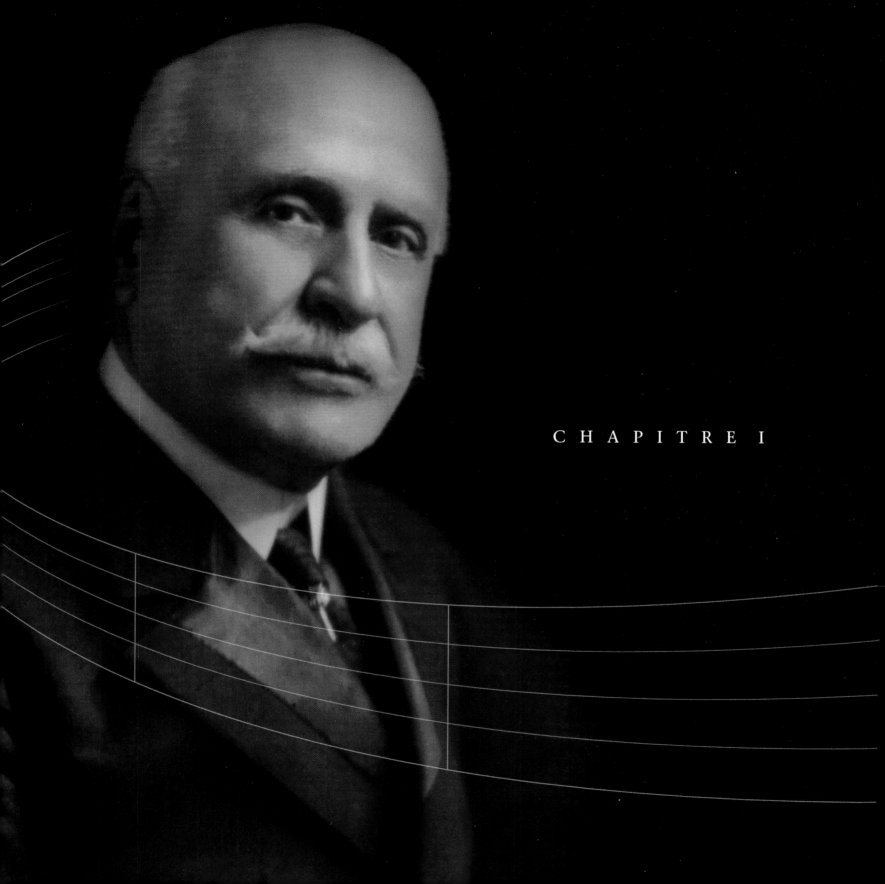

CHAPITRE I

# LES ANNÉES FASTES
# DE JOSEPH VÉZINA (1902-1924)

L'Orchestre symphonique de Québec a vu le jour au lendemain de brillantes festivités. En 1902, l'Université Laval célèbre son jubilé. Pour souligner l'événement, trois grands concerts sont offerts au Manège militaire pour lesquels un orchestre de 72 musiciens est constitué. Le 23 juin, on présente un concert de pièces classiques variées, puis, les 24 et 25, on donne l'oratorio *Le Paradis perdu* de Théodore Dubois avec un chœur de 300 voix et la participation de solistes réputés. D'un haut niveau artistique, ces fêtes laissent une forte impression sur les nombreux auditeurs, dont plusieurs déplorent le fait que les instrumentistes soient condamnés à se disperser une fois les célébrations passées. Pour les musiciens, en particulier les plus jeunes, ces concerts ont l'effet d'une révélation. Un grand rêve émerge bien vite dans leur esprit, celui de fonder à Québec un orchestre permanent.

## Ce 3 octobre 1902

À la fin de l'été de 1902, un flûtiste de 23 ans, Léonidas Dumas, prend les devants. Encouragé par deux amis musiciens, Joseph Talbot et Raoul Vézina, Dumas invite tous les bons amateurs intéressés par son projet à se réunir chez Vézina le vendredi 3 octobre 1902. Plusieurs instrumentistes enthousiastes répondent à cette invitation. Quelques heures de discussions et d'échanges fructueux conduisent à la création d'un ensemble instrumental auquel on donne le nom d'**Orchestre symphonique de Québec**. Le conseil d'administration est immédiatement constitué : Léonidas Dumas est élu président, Albert Nicole, vice-président, Joseph Talbot, secrétaire et Raoul Vézina, trésorier. Quant à la direction musicale, elle revient de droit au brillant maître d'œuvre des fêtes artistiques de l'Université, Joseph Vézina, le père de Raoul. Âgé de 53 ans, Vézina jouit alors d'une solide réputation de compositeur, de chef de fanfare, d'harmonie et de musique militaire. Il est l'homme de la situation.

Programme des concerts du cinquantième anniversaire de l'Université Laval les 23, 24 et 25 juin 1902.

Groupe d'instrumentistes parmi lesquels on reconnaît Raoul Vézina (1er à gauche), Léonidas Dumas, fondateur de l'OSQ (4e) et Albert Nicole (5e). Nicole, qui joua comme corniste dans l'orchestre jusqu'au milieu des années trente, était aussi violoniste.

### Un heureux départ

Les premières répétitions ont lieu chez Joseph Vézina. Le vendredi 28 novembre, l'orchestre se fait entendre en public pour la toute première fois de son histoire, dans le cadre d'un concert de la chorale de l'église Saint-Patrice où Joseph Vézina est organiste. Le mercredi précédant le grand soir, le *Daily Telegraph* annonce la tenue d'un « Concert de qualité pour venir en aide à l'église Saint-Patrice, offert par la Chorale de Saint-Patrice en collaboration avec l'Orchestre symphonique de Québec » au Tara Hall, situé rue Sainte-Anne. En plus du chœur et de l'orchestre, 12 solistes se produisent tour à tour dans des chansons populaires anglaises et des pièces de salon. L'orchestre, qui accompagne le chœur en fin de programme, se fait entendre seul dans deux œuvres, soit, en ouverture, un *Medley of Irish Airs* et, plus loin, une pièce intitulée *Cupid's Garden*. La première de ces œuvres est très certainement un arrangement de Joseph Vézina lui-même; il est possible que la seconde soit une composition originale du même Vézina qui avait déjà écrit une *Cupid Polka*. La critique parue dans le *Daily Telegraph* du lendemain mentionne qu'un public considérable a assisté à ce concert qui a remporté un franc succès : « L'exécution dynamique de ce programme bien pensé et de bon goût a été réalisée avec la participation de l'Orchestre symphonique de Québec sous l'habile direction du Professeur Joseph Vézina, organiste à l'église Saint-Patrice ».

Un deuxième concert a lieu le vendredi 5 décembre, toujours avec la chorale de Saint-Patrice au Tara Hall. Aucune publicité ni critique ne confirme la présentation de ce concert, mais un programme a survécu. Ce dernier annonce une « Grande soirée dramatique et musicale par l'Orchestre symphonique et la Chorale Saint-Patrice de Québec ». Cette fois, l'orchestre tient une place prépondérante et le répertoire comporte des pages classiques: « Marche des prêtres » d'*Athalie* de Mendelssohn, « Chœur des Pèlerins » de l'opéra *I Lombardi* de Verdi et des œuvres de compositeurs moins connus.

## LES ANNÉES FASTES
## DE JOSEPH VÉZINA (1902-1924)

### La Société symphonique de Québec

Après ces essais concluants, Joseph Vézina et ses 26 musiciens croient possible de rallier quelques instrumentistes chevronnés à leur cause. À cette fin, ils convoquent pour le 23 février une assemblée plénière à laquelle sont invités tous les bons musiciens, amateurs et professionnels. Parmi eux, on trouve les violonistes Alexandre Gilbert, Arthur Lavigne et W. Noble Campbell ainsi que le contrebassiste Nazaire LeVasseur qui acceptent avec enthousiasme de prendre place au sein de la formation. Ces derniers sont membres du réputé Septuor Haydn dont les activités semblent avoir cessé quelques années auparavant. Une dizaine de musiciens de la Garnison sont également appelés en renfort pour combler certains postes. Le noyau instrumental passe ainsi à quelque 40 instrumentistes. L'orchestre réorganisé se donne alors le nom de **Société symphonique de Québec**.

L'admission de professionnels appelle une restructuration administrative et, par le fait même, de nouvelles élections. Alexandre Gilbert est élu à la présidence et Nazaire LeVasseur à la vice-présidence, tandis que Joseph Talbot et Raoul Vézina conservent leur poste respectif de secrétaire et de trésorier. Un comité de musique constitué de Joseph Vézina, Alexandre Gilbert, Léonidas Dumas, W. Noble Campbell, Arthur Lavigne et Alphonse Bouchard est également formé. En plus de la présidence, Alexandre Gilbert se voit attribuer le poste de violon solo, appelé à l'époque *concert meister* (on lit aussi parfois *concert master*).

Plaque apposée en 2000
sur la résidence d'Alexandre Gilbert,
à l'angle de la rue Lockwell
et de l'avenue de Salaberry.

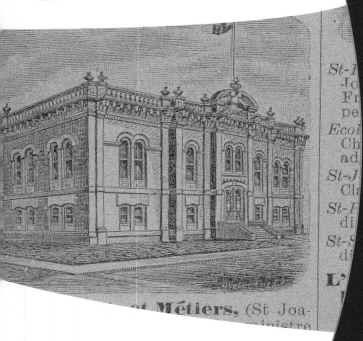

Programme souvenir
de l'inauguration
de l'Auditorium,
l'actuel Théâtre Capitole.

Selon la plupart des sources, cette réunion aurait eu lieu le 3 février 1903. Or, il est à peu près certain que cette date est erronée. Si l'on en croit un avis de convocation retrouvé dans les papiers de Nazaire LeVasseur, la rencontre semble s'être tenue le 23 février. Signé Joseph Vézina, cet avis se lit comme suit: «Cher Monsieur, Vous êtes instamment prié d'assister à une réunion d'instrumentistes qui aura lieu Lundi prochain, le 23 Février, à 8 heures précises p.m. dans la grande salle de l'école des Arts et Métiers Nᵒ 37 rue St Joachim. On y discutera des choses de la plus haute importance». La création de la Société symphonique ayant été annoncée le 7 mars suivant par la presse (qui précise qu'elle avait eu lieu «ces jours derniers»), l'hypothèse du 23 février semble fondée.

### De la grande musique pour une grande salle

Peu après sa mise sur pied, la Société symphonique est pressentie pour le gala d'ouverture de l'Auditorium (l'actuel Théâtre Capitole), prévu pour la fin de l'été de 1903. Souhaitant inaugurer la salle par un festival de musique, la direction du nouveau théâtre demande à Joseph Vézina de préparer plusieurs programmes. Le projet est finalement réduit à deux grands concerts annoncés pour les 31 août et 1er septembre. Parmi les solistes, on trouve les noms d'Alexandre Gilbert, du violoncelliste Rosario Bourdon, âgé d'à peine 18 ans, du baryton Joseph Saucier, de la soprano torontoise Eileen Millett, du ténor Paul DuFaut et du compositeur-pianiste Émiliano Renaud.

L'École des Arts et Métiers située au 37, rue Saint-Joachim, où la Société symphonique répéta jusqu'en 1918.

## LES ANNÉES FASTES
## DE JOSEPH VÉZINA (1902-1924)

Le programme du 31 août comporte, entre autres, l'ouverture *Ruy Blas* de Mendelssohn, des extraits des *Pêcheurs de perles* de Bizet, de *La Traviata* de Verdi et de *Manon* de Massenet, les *Chants canadiens* d'Ernest Gagnon, le premier mouvement du *Concerto pour violon en mi majeur* d'Henri Vieuxtemps et une fantaisie pour violoncelle et orchestre intitulée *Le Désir* d'Adrien François Servais. Au programme du lendemain figurent la *Marche religieuse* (ou *Marche festivale*) de Gounod, l'ouverture du *Songe d'une nuit d'été* de Mendelssohn, une suite de *Peer Gynt* de Grieg, les *Scènes bohémiennes* de Bizet, des extraits d'opéras (*Le Trouvère* de Verdi, *Joseph* de Méhul, *Hamlet* d'Ambroise Thomas et *Carmen* de Bizet) ainsi que diverses pièces concertantes.

Malgré quelques retards dans les travaux, qui forcent l'orchestre à tenir sa générale au milieu d'un vacarme infernal, tout le monde est fin prêt pour l'événement. Bien que les deux soirées s'étirent jusqu'aux environs de 23 h 30, le public réserve plusieurs ovations aux artistes et la presse se montre élogieuse. *Le Soleil* écrit : « L'imposant ensemble orchestral, si magistralement dirigé par M. Jos. Vézina, n'aurait pas déparé les plus grandes salles de concert des vieux pays ». Le *Daily Telegraph* abonde dans le même sens : « L'interprétation des œuvres orchestrales sous la direction de M. Joseph Vézina est au-dessus de tout éloge ». Les journaux montréalais font aussi écho à l'événement et leurs commentaires vont dans le même sens.

Première photo de la Société symphonique, parue dans le programme souvenir de l'inauguration de l'Auditorium en 1903. Sur la première rangée, on reconnaît, de gauche à droite, Wilfrid Edge, Joseph Talbot, W. Noble Campbell, Alexandre Gilbert, Joseph Vézina, Ernest Kirouac, Albert Gauvin, Numa Gauvreau et Jules Vézina. Deuxième rangée, légèrement à gauche derrière Joseph Vézina, le jeune Hermann Courchesne. Troisième rangée : Alphonse Bouchard (2e à partir de la gauche), Léonidas Dumas (4e), Paul Livernois (5e), Albert Nicole (6e). Dernière rangée : Nazaire LeVasseur (3e), Raoul Vézina (dernier). Remarquer la présence de plusieurs militaires en uniforme. Sept musiciens, dont Arthur Lavigne, n'apparaissent pas sur la photo.

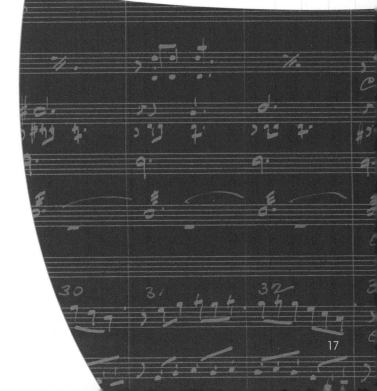

Mercredi soir
16 décembre 1903
à 8 heures

Programme

*Ouverture.—" Phèdre "*       .     .     .     .       MASSENET
La Société Symphonique de Québec

*Chanson de juillet—pour baryton*
avec accom

### Le nerf de la guerre

Si le bilan artistique de la première année d'existence du nouvel orchestre s'avère des plus positifs, il n'en va pas de même au plan financier. Les concerts de l'Auditorium ont laissé la caisse vide et, bien que l'orchestre soit essentiellement constitué d'amateurs, il doit rétribuer ses professionnels, notamment les musiciens de la Garnison, en plus de devoir faire face à une multitude d'autres dépenses. Il lui faut donc trouver des ressources financières régulières et stables. Le conseil d'administration convient d'abord d'exiger des frais d'inscription de 1 $ pour l'admission des nouveaux membres. De leur côté, les musiciens amateurs déjà inscrits acceptent de cotiser 0,25 $ par mois, huit mois par année, à la caisse de l'orchestre. Mais ces mesures sont insuffisantes. Le supérieur du Séminaire de Québec et recteur de l'Université Laval, Mgr Olivier-Elzéar Mathieu, décide alors d'intervenir personnellement. Convaincu du rôle clé que l'orchestre est appelé à jouer dans la vie culturelle de la capitale, il sollicite la générosité des membres de son conseil qui accordent un prêt illimité sans intérêt de 200 $ à la Société symphonique, le temps que celle-ci prenne son véritable envol.

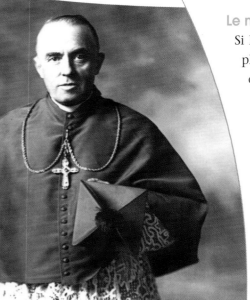

Mgr Olivier-Elzéar Mathieu (1853-1929),
supérieur du Séminaire de Québec
et recteur de l'Université Laval de 1899 à 1908,
et premier évêque de Regina de 1911 à 1929.
Il croyait fermement en l'avenir de la Société symphonique
dont il fut l'un des premiers mécènes.

Reconnaissants, Joseph Vézina et ses musiciens présentent deux concerts les 15 et 16 décembre 1903 à l'occasion des noces d'or sacerdotales de Mgr Thomas-Étienne Hamel, ancien recteur de l'Université Laval. Le 1er janvier suivant, peut-être en raison de l'excellence de ces deux concerts, la Société symphonique se voit libérée de sa dette par les autorités du séminaire qui lui offrent leurs meilleurs vœux de succès pour l'avenir. Une « Soirée musicale gracieusement offerte à Mgr le Supérieur par la Société symphonique » le 1er juin 1904 tiendra lieu de remerciements officiels. Chaque année, désormais, et ce pendant près d'un demi-siècle, l'orchestre se produira gracieusement pour les communautés du séminaire et de l'université en signe de gratitude pour les innombrables services rendus.

## Premières saisons structurées

Au début de l'année 1904, le gouvernement Parent accorde une subvention annuelle de 200 $ à la Société symphonique. Cet octroi permet d'envisager l'organisation d'une première vraie saison. L'année étant avancée, on limite la série principale à deux concerts, tout en laissant la porte ouverte à quelques projets spéciaux. Les tout premiers concerts de série de l'histoire de l'orchestre sont présentés à l'Auditorium les 29 février et 30 mai 1904. L'ouverture d'*Oberon* de Weber, la *Danse macabre* de Saint-Saëns et la « Czardas » de *Coppélia* de Léo Delibes figurent au programme du concert de février. Les solistes sont la brillante mezzo-soprano Adine Fafard-Drolet qui interprète notamment l'air « Mon cœur s'ouvre à ta voix » de *Samson et Dalila* et le flûtiste Léonidas Dumas qui joue la *Fantaisie hongroise* de Franz Doppler. Quant au concert du 30 mai, on peut y entendre le violoncelliste belge Jean-Baptiste Dubois dans les *Variations symphoniques* de Léon Boëllmann. L'orchestre joue en outre l'ouverture *La Grotte de Fingal* de Mendelssohn et *Le Rouet d'Omphale* de Saint-Saëns.

La saison suivante comprend trois concerts de série. Le premier est offert le 28 novembre 1904 au Tara Hall avec la jeune et prometteuse soprano Sophie Bender qui chante, entre autres, le dramatique air « L'insana parola » d'*Aïda* de Verdi. Les autres concerts de série de la saison ont lieu à l'Auditorium et présentent des œuvres d'envergure comme les marches de *Tannhäuser* et de *Lohengrin* de Wagner, la *Danse macabre* de Saint-Saëns et la *Symphonie « Militaire »* de Haydn. Dans le cas de cette dernière, on ne saurait affirmer à coup sûr que les quatre mouvements ont été exécutés, car à cette époque il est courant de fragmenter les œuvres comptant plusieurs mouvements.

Programme du concert du 16 décembre 1903, présenté à l'occasion des noces d'or sacerdotales de Mgr Thomas-Étienne Hamel. Ce programme donne une bonne idée de la façon dont s'articulaient les concerts de cette époque. Notons la présence, à la fin, des hymnes nationaux (*Ô Canada* et *Dieu sauve le Roi*) par lesquels s'ouvraient ou s'achevaient presque invariablement tous les concerts.

Mercredi soir
16 décembre 1903
à 8 heures
**Programme**

Ouverture.— " Phèdre " . . . . . . . MASSENET
La Société Symphonique de Québec

Chanson de juillet—pour baryton . . . B. GODARD
avec accompagnement d'orchestre
Monsieur Albert Jinchereau

Fantaisie hongroise.—Solo de flûte . . . DOPPLER
avec accompagnement d'orchestre
Monsieur L.-L. Dumas

Chanson Provençale.—Pour soprano . . . DELL'AQUA
avec accompagnement d'orchestre
Mademoiselle S. BENDER

" Un jour à Venise."—Suite romantique . . E. NEVIN
a.—L'Aurore ; b.—Chanson du gondolier ; c.—Chant d'amour ; d.—Bonsoir
La Société Symphonique de Québec

Le Crucifix.—Duo vocal, soprano et baryton . . FAURE
avec accompagnement d'orchestre
Mademoiselle Marie-Anne Godbout et Monsieur Albert Jinchereau

Marche Festivale . . . . . . . GOUNOD
La Société Symphonique de Québec

a } Le Soir . . . . . . . GOUNOD
b } Mon désir . . . . . . . NEVIN
avec accompagnement d'orchestre
Mademoiselle S. BENDER

a } Une nuit à Lisbonne, op. 65 . . . SAINT-SAENS
b } Danse nationale Polonaise . . . SCHARWENKA

**Chant national.—Dieu sauve le Roi**

Au cours de cette même saison, soit le 5 décembre 1904, l'orchestre participe à une soirée présentée dans le cadre des activités de la Société du parler français au Canada, à la Salle des promotions de l'Université Laval. Fondée en 1902 à Québec par l'avocat Adjutor Rivard et l'abbé Stanislas A. Lortie (généalogiste du Séminaire de Québec), la société poursuit essentiellement deux objectifs, soit «l'étude scientifique du langage de notre peuple, et la correction des fautes qui s'y trouvent». La formule des séances publiques consiste à faire suivre chaque causerie d'une pièce orchestrale. Les conférenciers, ce soir-là, sont Pierre Boucher de la Bruère, ancien surintendant de l'instruction publique, Adjutor Rivard, l'abbé Camille Roy, l'honorable Charles Langelier, ancien secrétaire provincial, et Mgr Olivier-Elzéar Mathieu. C'est le début d'une longue et fidèle collaboration qui durera jusqu'en 1946!

## Consolidation et efficacité

La saison 1905-1906 sera celle de la consolidation. D'une part, l'orchestre acquiert une dimension proprement symphonique, passant de 48 à 56 musiciens, parmi lesquels on retrouve quelques femmes. D'autre part, les orientations se précisent. Bien que les concerts de série soient toujours limités à trois, on voit s'affirmer une volonté de suivi par la mise en place d'un système d'abonnement. De plus, les concerts se succèdent à intervalles égaux dans le calendrier. Enfin, un soin évident est apporté au concept graphique du programme qui demeure le même pour toute la saison et qui, pour la première fois, inscrit le nom des membres honoraires. La Société symphonique retient pour cette liste les noms des «personnes de condition sociale qui lui font l'honneur de lui témoigner quelque bienveillance spéciale». En tête de liste, figure le nom du premier ministre canadien sir Wilfrid Laurier, suivi, notamment, de ceux de l'honorable Charles Fitzpatrick, solliciteur général du Canada, du juge Adolphe-Basile Routhier, du premier ministre québécois Lomer Gouin, de l'historien Thomas Chapais et de l'orfèvre et inventeur Cyrille Duquet.

Programme du concert du 20 novembre 1905.
L'une des solistes de cette soirée, la remarquable soprano Sophie Bender, future créatrice du rôle de Pauline dans *Le Lauréat* de Joseph Vézina, devait mourir à l'âge de 22 ans le 4 février 1907.

## LES ANNÉES FASTES
## DE JOSEPH VÉZINA (1902-1924)

Conscient de son rôle de diffuseur et de promoteur, l'orchestre veille aussi à garder un équilibre entre artistes locaux et internationaux. Cette position sera clairement exprimée par Joseph Vézina quelques années plus tard. Dans son rapport annuel comme président de la Société symphonique (1911-1912), il écrit : « Suivant l'habitude et pour plaire davantage aux habitués de nos concerts nous avons engagé pour chaque audition un soliste de réputation ; mais nous avons aussi procuré l'occasion à trois excellents amateurs de cette ville de se faire entendre publiquement dans des conditions avantageuses ». Les solistes les plus fréquemment invités sont les chanteurs, suivis des pianistes, des violonistes et des violoncellistes. Leur cachet peut aller jusqu'à 150 $ par concert.

Le 20 mars 1906, la Société symphonique procède à son incorporation. L'enregistrement porte les signatures d'Arthur Lavigne, d'Alphonse Bouchard et d'Alexandre Gilbert.

### Un opéra du maestro

Désormais bien en selle, la Société symphonique commence à recueillir les fruits de ses efforts. En 1906, un comité de citoyens souhaite honorer Joseph Vézina par une soirée bénéfice où sera créé son premier opéra-comique, *Le Lauréat*. L'accompagnement sera assuré par la « Symphonie », comme on appelle familièrement l'orchestre. Le livret de Félix-Gabriel Marchand, ancien premier ministre du Québec, raconte l'histoire de Paul, un étudiant, qui veut épouser Pauline, une pauvre orpheline. Son oncle menace de le déshériter, mais on apprend que la jeune fille a elle-même hérité d'une fortune considérable.

Premier of Quebec

Caricature de l'honorable Félix-Gabriel Marchand (1832-1900), premier ministre du Québec de 1897 à sa mort. Marchand était un écrivain apprécié. En plus du livret du *Lauréat*, il a laissé plusieurs pièces de théâtre et divers écrits réunis sous le titre *Mélanges poétiques et littéraires*.

L'événement se tient les 26 et 27 mars 1906 à l'Auditorium. Le rôle de Paul est chanté par un jeune ténor prometteur, Jules-Arthur Gagné, qui optera plus tard pour le droit, refusant même une offre du Metropolitan Opera de New York. Pour le décor du second acte, qui se situe dans une pension pour étudiants, on place sur une cloison, bien en évidence, un portrait de feu l'honorable Marchand. *Le Lauréat* obtient un grand succès. Des journaux de Montréal publient même un compte-rendu du spectacle. On prévoit donner l'œuvre à Ottawa et à Montréal les 17 et 18 mai, mais le projet est annulé à la toute dernière minute en raison de problèmes de disponibilité des salles.

### Le concours de Lord Grey

À l'automne de 1906, le gouverneur général du Canada, Lord Albert Henry George Grey, annonce la tenue d'un concours musical et dramatique pour amateurs. Les épreuves doivent se dérouler à la fin de janvier 1907 dans la capitale canadienne. Le maire Georges Garneau souhaite vivement que la ville de Québec soit représentée à ce concours par la Société symphonique. Immédiatement après le premier concert de série, où sont entendus l'admirable soprano Éva Gauthier et le ténor Jules-Arthur Gagné, les musiciens s'attaquent au programme du concours.

Le 27 janvier 1907, les instrumentistes, leur chef et quelques amis quittent Québec. Le transport des instruments et des passagers force la Canadian Pacific Railway Company à ajouter deux wagons au convoi habituel. À Ottawa, une série de désagréments refroidit l'enthousiasme des participants. Lorsque le train entre en gare en fin de soirée, il fait un froid sibérien et personne n'attend les musiciens. Puis, au Théâtre Russell, on se heurte à des portes closes alors qu'il avait été entendu que le théâtre serait ouvert pour recevoir les instruments. Le lendemain, la générale a lieu dans des conditions pénibles. En arrivant, les musiciens trouvent la scène encombrée

La soprano Éva Gauthier (1885-1958), soliste au concert du 26 novembre 1906. Alors âgée de 21 ans et protégée par Emma Albani qui voyait en elle son héritière spirituelle, Éva Gauthier fera l'une des carrières les plus étonnantes de son temps. En 1923, elle remportera un triomphe en se produisant aux côtés de George Gershwin. Toute sa vie, elle défendra la cause de la musique moderne.

Page précédente : le Conseil d'administration de la Société symphonique en 1905-1906. De gauche à droite : Alphonse Bouchard, Albert Nicole, Alexandre Gilbert (alors président), Wilfrid Edge, Arthur Lavigne, Joseph Vézina, Ulric Vézina, W. Noble Campbell et Albert Gauvin (futur imprésario).

et doivent affronter la mauvaise foi évidente des responsables de la salle. En colère, le président Arthur Lavigne porte plainte auprès des officiels du concours qui voient rapidement à ce que les choses rentrent dans l'ordre. L'abbé Pierre-Chrysologue DesRochers, l'un des premiers historiens de l'orchestre, écrit: «Il semble bien que la présence d'une organisation de Québec (quoi de bon peut-il venir de là) était peu prisée et contrariait fort un certain milieu».

Ces désagréments passés, Joseph Vézina réussit à fouetter l'ardeur de ses troupes. Conscient qu'il a affaire à des amateurs, il évite toujours d'humilier ses musiciens. Lorsqu'il se fait «enfoncer un veau dans l'oreille», ainsi qu'il appelle les fausses notes, il use de tact: «Avez-vous un dièse vis-à-vis telle note? Si non, mettez-en un et corrigez une erreur d'impression». Détail insolite, Joseph Vézina est droitier mais dirige de la main gauche, habitude acquise dans sa jeunesse alors qu'il jouait du baryton (souvent appelé *euphonium*, terme anglais) tout en conduisant la fanfare des Voltigeurs.

### Les lauriers de la victoire

Au moment de sa prestation, la Société symphonique fait une forte impression sur l'auditoire. Le programme comprend la *Marche religieuse* de Gounod, la *Danse macabre* de Saint-Saëns et la valse *La Brise* de Joseph Vézina. Après le concert, Lord Grey en personne adresse de chaleureuses félicitations aux musiciens et à leur chef. Puis, c'est le retour à Québec où le verdict est attendu avec impatience. Le 3 février, Lord Grey envoie un télégramme au lieutenant-gouverneur du Québec, Louis-Amable Jetté, annonçant la victoire de la Société symphonique. Les Québécois jubilent!

Dessin figurant dans un album réalisé par l'abbé David G. Pettigrew et consacré à la mémoire de Joseph Vézina.

## LES ANNÉES FASTES
## DE JOSEPH VÉZINA (1902-1924)

L'événement est largement couvert par la presse, non seulement à Québec, mais aussi à Montréal et Ottawa. Lors d'une entrevue avec un journaliste du *Ottawa Free Press*, le juge de la partie musicale du concours, George Whitefield Chadwick, se dit renversé par le niveau de l'orchestre québécois. Compositeur en vue aux États-Unis et directeur du New England Conservatory de Boston, Chadwick affirme : «Je crois qu'il n'y aucune ville américaine de la taille de Québec qui puisse produire un orchestre d'une telle qualité». Quelques jours plus tard, Joseph Vézina reçoit une lettre de sir Wilfrid Laurier qui sera reproduite dans *Le Soleil* du 25 février :

*La Musique et le théâtre*, bronze de Louis-Philippe Hébert, décerné à la Société symphonique à la suite du *Concours dramatique et musical* du gouverneur général, Lord Grey, en 1907. La réplique que possède toujours l'OSQ a été offerte par Lord Grey en 1908.

> **Ottawa, 23 février 1907**
>
> Cher M. Vézina,
>
> Une indisposition passagère m'a empêché d'être présent au concert que vous avez donné ici lors du concours organisé par le Gouverneur Général.
>
> J'en ai été d'autant plus contrarié que j'ai été ainsi privé du plaisir que j'aurais eu, à titre de député de la ville de Québec, à vous applaudir.
>
> Je vous écris pour vous prier d'accepter mes très sincères félicitations. Croyez-moi bien, cher M. Vézina, votre tout dévoué,
>
> (signé) **WILFRID LAURIER**

Après ces moments d'euphorie, la vie reprend son cours normal. Le 25 février, la Société symphonique présente son deuxième concert de série de la saison 1906-1907, lequel répète en bonne partie le programme de sa prestation du concours. La soliste invitée est la soprano Charlotte Maconda qui avait participé aux fêtes du jubilé de l'Université Laval en 1902. Un mois plus tard, soit le 23 mars, on retrouve l'orchestre au Monument national de Montréal, où il se produit en matinée et en soirée. La presse est unanime à souligner l'excellence de l'ensemble — et à déplorer la faible assistance.

La Société symphonique photographiée sur la scène de l'Auditorium à la fin des années 1900. L'orchestre compte alors une soixantaine d'instrumentistes. À l'extrême droite, le pianiste Joseph-Arthur Bernier, grand-père de Françoys Bernier, futur directeur musical de l'OSQ.

Présenté le lundi 13 mai, le troisième et dernier concert de série montre un certain raffinement dans le choix du répertoire qui réserve de plus en plus de place aux grands maîtres. On peut y entendre, entre autres, la *Huldigungsmarsch* de Wagner, l'ouverture de *Der Freischütz* de Weber, des extraits des *Scènes pittoresques* de Massenet et surtout le mouvement initial de la *Première symphonie* de Beethoven.

Ce concert aurait bien pu être le dernier de Joseph Vézina comme chef de la Société symphonique. Dans l'après-midi du 29 août 1907, il visite le chantier du pont de Québec en compagnie d'Arthur Lavigne, du compositeur Guillaume Couture et d'Ulric Barthe, alors secrétaire de la Compagnie du pont de Québec. Les quatre amis sont dans la locomotive du train transportant les matériaux depuis le dépôt de la rivière Chaudière jusqu'au pont. Le mécanicien offre de les mener jusqu'à l'extrémité de la section, mais les visiteurs, pressés, déclinent l'invitation et descendent aux abords du pont. Cinq minutes plus tard, un bruit fracassant se fait entendre : le tronçon sud s'écroule, entraînant dans la mort 76 personnes. Les quatre hommes sont sidérés… mais sains et saufs.

### Les fêtes du tricentenaire

L'année 1908 se révélera la plus active de la décennie pour la Société symphonique. Tout d'abord, le 26 février, l'orchestre participe à la deuxième édition du concours du gouverneur Grey. À la surprise générale, la Symphonie se voit détrônée par l'orchestre à cordes du Conservatoire d'Ottawa. Informé de rumeurs voulant que les juges se soient entendus pour refuser d'accorder le prix une seconde fois aux musiciens québécois, Lord Grey décide d'offrir une réplique du trophée à l'orchestre.

# LES ANNÉES FASTES
## DE JOSEPH VÉZINA (1902-1924)

L'été suivant, l'orchestre est appelé à jouer un rôle de premier plan lors des fêtes grandioses du tricentenaire de Québec. Du 19 au 31 juillet 1908, la population vit au rythme du plus grand festival que Québec ait jamais connu. Reconstitutions historiques et défilés militaires sont offerts en différents endroits de la ville. Le prince de Galles, qui sera couronné en 1910 sous le nom de George V, assiste à l'événement. Un aréopage d'artistes réputés, placé sous la présidence de Joseph Vézina, met au point le programme musical des fêtes. Enrichie d'une vingtaine d'instrumentistes professionnels de Montréal, la Société symphonique présente quatre grands concerts au Manège militaire, en plus de participer à l'accompagnement de certains spectacles sur les plaines d'Abraham.

Des foules immenses se bousculent pour ne rien manquer. Les pièces musicales fort goûtées. Un spectateur à qui un journaliste du *Soleil* demandait son appréciation d'un des tableaux répondit : « Mais je n'en sais rien, je n'ai rien vu, j'étais occupé à écouter la musique ». Quant à la série de concerts du soir, elle s'ouvre le 21 juillet avec la présentation de l'« ode-symphonie » *Christophe Colomb* de Félicien David. Un grand concert de gala a lieu le samedi 25 juillet. La soliste est la soprano Bernice James de Pasquali qui poursuit alors une belle carrière internationale et qui se produit régulièrement au Metropolitan Opera. Elle interprète l'air « Ah, fors'è lui... Sempre libera » de la *Traviata* de Verdi, le « Chant du Mysoli » de *La Perle du Brésil* de David ainsi que le théâtral « Inflammatus » du *Stabat Mater* de Rossini.

Figurants incarnant Henri IV et sa cour lors des fêtes du tricentenaire de Québec en 1908, devant l'immense estrade aménagée pour l'occasion sur les plaines d'Abraham. On peut deviner la présence d'instrumentistes à gauche sur cette photo.

### De nouveaux défis

Après des vacances en Europe, Joseph Vézina s'attaque à la très belle saison 1908-1909 qui s'ouvre le 18 décembre à l'Auditorium avec la contralto Lilla Ormond. Le deuxième concert a lieu le vendredi 12 février 1909. On y donne la première symphonie dont on puisse affirmer qu'elle a été jouée intégralement par l'orchestre, l'*Inachevée* de Schubert! Au même programme, on peut entendre la pianiste russe Tina Lerner dans le *Concerto en la mineur* de Grieg. La musicienne de 19 ans joue également, seule cette fois, le *Nocturne en ré bémol* et l'*Étude en sol bémol*, opus 10 nº 5, de Chopin, ainsi qu'un arrangement du *Beau Danube bleu* de Strauss. Cette pratique voulant que le soliste se fasse entendre sans l'orchestre est courante à l'époque. La Société symphonique a d'ailleurs son propre pianiste, Joseph-Arthur Bernier, qui accompagne les chanteurs et autres solistes à ces occasions. La saison s'achève le 30 avril 1909 par un concert où sont joués les trois derniers mouvements de la *Symphonie «Pastorale»* de Beethoven, une première à la Société symphonique.

Tout au long de cette saison, le choix des solistes s'est avéré des plus heureux, le répertoire s'est diversifié, le public a généralement bien répondu et, de plus, les finances sont excellentes!

La popularité du cinéma — les «vues animées», comme on dit alors — va cependant peu à peu modifier le paysage culturel et poser des problèmes inattendus à la Symphonie. En plus de drainer une partie du public loin du concert, la présentation de films fait à ce point recette que la direction de l'Auditorium envisage de réserver la salle uniquement pour les projections. La Société symphonique continuera de s'y produire pendant encore quelques années, mais ce sera souvent au prix de rudes négociations pour obtenir des coûts de location raisonnables.

Menu du banquet offert à Joseph Vézina par la Société symphonique peu avant son départ pour l'Europe en octobre 1908. Ce menu, truffé d'allusions humoristiques, se présente sous la forme d'un programme de concert.

La Société Symphonique de Québec

(KENT HOUSE 6 octobre 1908 à 8 hrs. précises)

Témoignage amical

Offert à notre dévoué Directeur

### PROGRAMME

1. Marche. "Céleri et Radis" - - Concert Meister
2. Ouverture. "Consommé au Lauréat" - - - Vézina
3. { a Saumon Bouilli moderne - - - - Lavigne
   { b Sauce au Vin Classique - - - - Campbell
4. Symphonie Gastronomique. Op. 1908 - Levasseur
   Poulet Grillé aux Archives Livernois
   Pommes de Terre à la Caisse Bouchard
   Choufleur des Serres Chouinard
5. Concerto Rôti—pour Viole d'Amour - Bellisle
   Côtelettes de Bœuf à la Président Davies
   Pommes de Terre Petit-Comité
6. Suite. (Souvenirs d'Ottawa) - - - les Jeunes
   Plum Pudding—Fruits—Gateaux
   Café Noir—Cigares.

(En rappel). Sauterne et Claret - - - Lemieux
(Pour les cordes seulement)

**DIEU PROTEGE NOTRE HOTE !**

## LES ANNÉES FASTES
## DE JOSEPH VÉZINA (1902-1924)

### L'exotisme à la Vézina

En mars 1910 a lieu la création d'un deuxième opéra-comique de Joseph Vézina, *Le Rajah*, sur un texte d'un futur sous-ministre, Benjamin Michaud. L'œuvre est donnée en privé le lundi 14 mars à l'Auditorium. Deux représentations sont offertes au grand public les mardi 15 et vendredi 18. La recherche d'un rubis sacré sert de nœud à une intrigue rythmée qui conduit à Québec un prince indien en quête d'un pays pacifique. Plus fantaisiste que *Le Lauréat*, l'action du *Rajah* présente des personnages aux noms savoureux : Robkar, rajah du Mysoulior, Crétinval, rédacteur en chef de la *Patrie canadienne*, Paul Bloffard, journaliste, Panachoux, agriculteur, Archibald Neverscoop, reporter au *London Times*, Li-Fou-Tché-Nou, secrétaire du rajah, etc.

Le critique de *L'Événement* commente ainsi cette création : « Enfin, nous l'avons eu, le Rajah ! Depuis des semaines et des semaines qu'il se faisait attendre ! [...] Mais il fait veiller tard, le Rajah : il commence à huit heures et quart et ne finit qu'après minuit. » Au sujet de la pièce elle-même, le journaliste note que « la partie littéraire, chantée, est remarquable ». Quant au compositeur, il « s'était déjà essayé dans le genre opératique ; mais hier au soir, il a dépassé tout ce qu'il avait fait jusqu'ici ». *Le Soleil*, pour sa part, rapporte que le *Rajah* « fait rage, sans jeu de mots ». Au moment de l'entracte, le soir de la deuxième représentation, Benjamin Michaud monte sur scène et demande un moment d'attention. Il a été chargé de remettre une coupe d'argent au capitaine du club de hockey Laval qui vient de remporter le championnat de la ligue québécoise et dont les membres occupent deux loges de l'Auditorium. Des applaudissements chaleureux suivent cet instant « aussi épatant que la venue de la comète Halley », d'ajouter *Le Soleil*.

La jeune pianiste Tina Lerner, soliste à la Société symphonique le 12 février 1909, qui mènera une grande carrière, jouant notamment avec des chefs comme Willem Mengelberg.

Sceau de la Société symphonique.

29

Le rythme des concerts se poursuit au cours des saisons suivantes. Parmi les faits saillants de cette période, mentionnons la première audition du premier mouvement de la *Cinquième symphonie* de Beethoven lors du concert du 2 décembre 1910. Au même programme, le public peut entendre la jeune coloratura Edna Blanche Showalter, acclamée aux États-Unis comme « la première véritable prima donna américaine ». Après sa prestation, la jeune femme offre quelques rappels en s'accompagnant elle-même au piano, au grand étonnement de l'assistance.

Le 11 mars 1912 a lieu la création du troisième et dernier opéra-comique de Joseph Vézina, *Le Fétiche*. La scène se passe en 1701 aux abords du lac Champlain. La chasse étant mauvaise, des Iroquois demandent au trappeur Pied-Léger de leur trouver un fétiche, c'est-à-dire une femme blanche, à offrir au Manitou. La jalousie poussera la jeune Lucienne à livrer sa cousine Gaétane, qui réussira cependant à retrouver la liberté. C'est un nouveau triomphe pour Vézina. Certains morceaux sont applaudis avec frénésie.

## LES ANNÉES FASTES
## DE JOSEPH VÉZINA (1902-1924)

### Un petit effort...

Malgré ses succès artistiques, la Symphonie ne fait pas toujours salle comble, ce qui lui cause d'incessants problèmes d'argent. En 1911, elle avait sollicité le soutien de la Ville de Québec, mais le maire Napoléon Drouin lui avait opposé une fin de non-recevoir catégorique. Deux ans plus tard, une délégation de musiciennes fut envoyée au-devant des autorités municipales. Nul ne sait comment se déroula l'entretien, mais les dames revinrent avec une promesse de 200 $ ! Il faudra cependant attendre 1921 avant que la ville ne renouvelle son appui. Elle accordera alors une subvention annuelle de 300 $, montant qui sera porté à 400 $ en 1928. En avril 1914, *L'Événement*, à l'initiative du journaliste et comédien Henri Chassé, lance une campagne de souscription au profit de l'orchestre. Dans un article intitulé *Encourageons notre Société symphonique*, le journaliste déplore entre autres le fait que, chez nous, le sport passe toujours avant les arts ! Cette campagne recueillera quelque 700 $.

La dernière discussion d'importance avant la guerre porte sur l'adoption d'un diapason officiel. Cette question sera régulièrement débattue au conseil d'administration jusqu'en 1922, alors que l'orchestre optera définitivement pour le diapason à 440 Hz (il était vraisemblablement à 435 Hz avant cette date).

### Une période difficile

La Première Guerre mondiale bouleverse l'ensemble des activités humaines et empêche l'organisation de saisons structurées pour la Société symphonique. Entre avril 1914 et janvier 1915, l'orchestre est muet. Le 29 janvier 1915, la Symphonie participe à une soirée «patriotique» au bénéfice de la Croix-Rouge. Par la suite, ses activités se limitent aux séances de la Société du parler français, à quelques concerts de gala, souvent à caractère philanthropique, et à certaines manifestations religieuses.

Le maire de Québec, Napoléon Drouin, en poste de 1910 à 1916 et l'un des fondateurs de la compagnie de tabac Rock City. En 1913, les dames de l'orchestre réussirent à obtenir 200 $ de son administration.

Le jeune Arthur LeBlanc, à l'époque où il fit
ses débuts avec la Société symphonique.

Le concert du 31 mars 1916 a la particularité de présenter l'ouverture *Brutus* de Charles O'Neill, futur chef de la musique du Royal 22e Régiment. Il est vraisemblable de croire que cette œuvre soit une création, la première strictement orchestrale de la Société symphonique. En 1918, l'orchestre ne se fait entendre qu'une seule fois, soit en mars, lors de la séance de la Société du parler français. En plus des problèmes inhérents à la guerre elle-même, le changement de local de répétition, la difficulté d'obtenir des salles de concert à prix raisonnable et l'épidémie de grippe espagnole paralysent les activités de l'orchestre pendant plus d'un an.

La paix revenue, la Société symphonique se relève tant bien que mal de ses années de disette. La question de la salle se pose de façon plus aiguë que jamais, l'orchestre n'ayant plus les moyens de s'offrir l'Auditorium dont le coût de location s'élève maintenant à 250 $ par soir. On se tourne alors vers les églises ou la Salle des promotions de l'Université Laval qu'on peut louer pour 25 $ par concert. Mais la motivation et l'enthousiasme des premières années ne sont plus au rendez-vous. Joseph Vézina fait face à un problème endémique de manque d'assiduité aux répétitions et se heurte à la « très mauvaise volonté de certains membres ». On doit même adopter un règlement interdisant le tabac pendant les répétitions !

Dans de pareilles conditions, on ne s'étonne pas que le répertoire connaisse une certaine stagnation. Il faut tout de même signaler, le 30 avril 1919, la création d'un mouvement d'une suite intitulée *Une Journée à la campagne* de Robert Talbot, jeune violoniste qui sera bientôt appelé à de hautes fonctions au sein de l'orchestre.

### Un second souffle

Au début des années 1920, la Symphonie va heureusement connaître un second souffle. Plusieurs manifestations à caractère religieux, en particulier, vont occuper les musiciens. La plus notable est sans contredit la présentation, les 15 et 17 mai 1923, de l'oratorio *La Rédemption* de Gounod à l'occasion du tricentenaire de la naissance de M$^{gr}$ François de Laval, donnée avec un chœur de plus de 300 choristes. Cette production attire, le premier soir seulement, quelque 6000 auditeurs.

Entre ces événements spectaculaires, quelques concerts plus conventionnels, mais néanmoins dignes de mention, ont lieu. C'est le cas du « Concert annuel » donné les 13 et 14 avril 1921, où la Société symphonique présente un jeune violoniste de 15 ans, Arthur LeBlanc, qui interprète la *Ballade et Polonaise* de Vieuxtemps. Le lendemain, on peut lire dans *Le Soleil* : « M. LeBlanc [...] joue avec fougue, faisant ressortir de son instrument une jolie sonorité. [...] M. Gilbert, le professeur distingué de ce jeune talent, a droit d'être fier de son élève, qui sous son égide, nous en avons la certitude, ne tardera pas à s'affirmer d'une manière remarquable ». LeBlanc deviendra par la suite un des favoris du public de la Société symphonique.

Les exécutants (chœur, solistes et orchestre) de *La Rédemption* de Gounod devant le Manège militaire en mai 1923. À l'avant-plan, à gauche, on peut apercevoir Robert Talbot et Arthur LeBlanc. Ce dernier se fit entendre dans le *Second concerto* de Wieniawski entre les première et deuxième parties de *La Rédemption*.

### La fin d'une époque

En 1924, la Symphonie se fait entendre à quatre reprises. Le 3 avril, elle participe à une séance de la Société du parler français. Une semaine plus tard, elle donne un concert au profit de la reconstruction de la basilique incendiée en 1922. Le 19 juin, elle joue aux noces d'or sacerdotales du cardinal Raymond-Marie Rouleau et, le 21 juin, elle présente un concert dans le cadre du centenaire de la bénédiction de l'église de Montmagny.

Ce concert est le dernier de Joseph Vézina à la tête de l'orchestre qu'il a fondé 22 ans plus tôt. Le 27 juillet, sous un soleil de plomb, il dirige tête nue la fanfare des Cadets de Saint-Jean-Baptiste à Cap-Santé. Le soir, il est pris d'un malaise dû à une insolation. Son état s'aggrave rapidement au point où, à la mi-septembre, on le sait condamné. Le 5 octobre, il rend paisiblement l'âme. Sa disparition donne lieu à de vibrants hommages dans les journaux. À ses funérailles, la Société symphonique joue les marches funèbres de Chopin et de Beethoven sous la direction de Robert Talbot. Trois ans plus tard, une souscription publique permettra d'élever un mausolée au cimetière Belmont à la mémoire de celui qui aura été pendant plus d'un demi-siècle l'un des piliers de la vie musicale à Québec.

Encadré par les militaires du Royal 22e Régiment, le cercueil de Joseph Vézina arrive à l'église Saint-Jean-Baptiste au matin du mercredi 8 octobre 1924.

# GLANURES MUSICALES...

- 1891 : fondation du Club musical (alors appelé Club musical des dames), toujours en activité aujourd'hui et qui, avec l'OSQ, a permis aux Québécois d'entendre les plus grands interprètes du XX$^e$ siècle.

- Début du XX$^e$ siècle : de grandes troupes d'opéra, la plupart américaines, se produisent à Québec, dont la San Carlo Grand Opera Company venue jusqu'en 1944.

- 1903 : (19 février) la grande soprano québécoise Emma Albani donne un concert au Manège militaire.

- 1905 : (9 mars) récital du violoniste Eugène Ysaye à l'Auditorium.

- 1906 : (18 mai) le violoniste Jan Kubelik (père du chef Rafael Kubelik) se produit à l'Auditorium.

- 1908 : (9 octobre) la soprano Emma Calvé en concert au Manège militaire.

- 1909 : mise sur pied d'un éphémère Quebec Ladies' Orchestra qui se fait entendre le 20 avril à l'Auditorium. Les dames jouent notamment la musique de ballet du *Faust* de Gounod ; le même soir, un autre orchestre de jeunes filles se produit dans une autre salle.

- 1910 : (24 février) récital de la violoniste Georgette Commettant, petite-fille du redoutable critique français Oscar Commettant qui avait été provoqué en duel par Bizet ; elle se produit en compagnie du grand ténor Paul DuFaut.

- 1910 : (6 mai) le grand pianiste Mark Hambourg se produit à l'Auditorium.

- 1910 : fondation de la Montreal Opera Company qui se produit aussi à Québec jusqu'à sa disparition en 1913.

- 1911 : l'Académie de musique (dont Joseph Vézina sera président en 1914-1915) institue le Prix d'Europe. Première lauréate : Clotilde Coulombe, pianiste.

- 1913 : (28 mars) le pianiste Leopold Godowsky en récital à la Salle Colomb (près du Manège militaire).

- 1915 : (20 octobre) récital de Pablo Casals à l'Auditorium.

- 1915 : fondation de la Maîtrise de Québec.

- 1916 : (23 septembre) Yvette Guilbert en spectacle à Québec.

- 1919 : (4 juin) récital d'orgue de Joseph Bonnet à la basilique.

- 1920 : (27 janvier) Sergueï Prokofiev donne un récital de piano à la Salle Colomb. Lors de ce concert, qualifié d'« Événement artistique et social du carnaval », le compositeur russe interprète quelques-unes de ses œuvres, dont la célèbre *Suggestion diabolique* et la *Troisième sonate*.

- 1921 : (21 mars) Arturo Toscanini et l'orchestre de la Scala de Milan se produisent à l'Auditorium.

- 1921 : (17 mai) la grande soprano Amelita Galli-Curci en récital au Manège militaire.

- 1921 : (15 octobre) Anna Pavlova danse à Québec ; l'OSQ consacrera un disque à sa mémoire en 1986.

- 1922 : fondation de l'École de musique de l'Université Laval.

C H A P

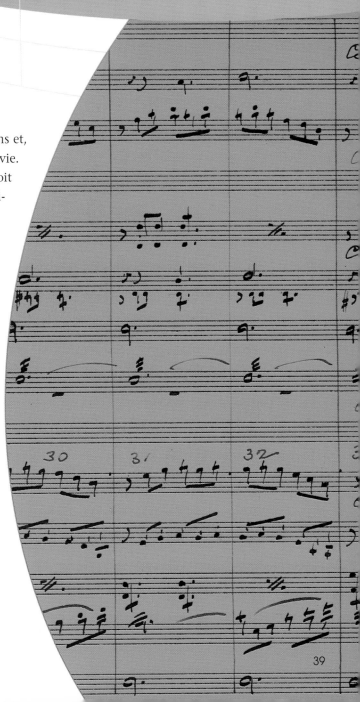

# GLOIRES ET DÉBOIRES (1924-1942)
## ROBERT TALBOT, UN CHEF SÉRIEUX ET CULTIVÉ

Quelques mois avant sa mort, Joseph Vézina avait pris la parole devant ses musiciens et, la voix tremblante d'émotion, leur avait enjoint de poursuivre la grande œuvre de sa vie. Au lendemain de sa disparition, le violoniste Robert Talbot, âgé d'à peine 30 ans, se voit offrir la direction musicale de la Société symphonique. Sa nomination est unanimement entérinée le 24 novembre 1924.

L'horizon musical de Talbot diffère sensiblement de celui de Joseph Vézina. Contrairement à ce dernier, qui était essentiellement un autodidacte, Talbot possède une solide formation académique : après avoir travaillé le violon avec Alexandre Gilbert, il s'est perfectionné à l'Institute of Musical Art de New York, l'actuelle Juilliard School of Music, où il a obtenu des notes exceptionnelles tant pour la pratique que dans les matières théoriques.

Dès son entrée en fonction, Talbot s'emploie à élargir le répertoire. Sous son impulsion, l'orchestre donnera, intégralement ou en partie, des symphonies de Haydn et de Schubert, la *Symphonie « du Nouveau Monde »* de Dvořák, le *Casse-Noisette* de Tchaïkovski, la suite *Masques et Bergamasques* de Fauré, le prélude des *Maîtres chanteurs de Nuremberg* de Wagner, la *Troisième symphonie* de Brahms, la *Symphonie en ré mineur* de Franck, la *Sixième symphonie* de Glazounov, des œuvres de d'Indy, Chabrier, Chausson, Ropartz, etc.

Quelques musiciens de la Société symphonique
photographiés lors d'une excursion
à la cabane à sucre le 10 avril 1927 à Beaupré.

Pour augmenter le niveau de l'ensemble, le nouveau directeur musical organise des répétitions par groupes d'instruments, qu'on appelle dans le milieu des « sectionnelles ». Il commande aussi des méthodes pour améliorer le jeu des bois et des cuivres ainsi que des recueils de traits d'orchestre, fait passer le nombre de répétitions de une à deux par semaine, resserre les conditions d'admission pour les musiciens, etc. Au cours de ses premières années, le calendrier annuel comportera invariablement un programme pour le personnel et les communautés du séminaire, une participation à la séance annuelle de la Société du parler français, ainsi qu'un grand concert présenté en collaboration avec le Club musical des dames. Neuf concerts seront offerts avec le Club de 1925 à 1933 au Château Frontenac. Contrairement à Joseph Vézina, Talbot n'engagera pratiquement que des solistes du Québec durant tout son « règne ».

Son premier concert, le 28 janvier 1925, lui vaut des commentaires encourageants : « Il nous est vraiment agréable de saluer dans la personne du nouveau directeur de la Société symphonique de Québec l'un des artistes les plus sérieux, l'un des musiciens les mieux qualifiés de la génération qui monte ». En novembre 1927, un concert populaire connaît un tel succès que le coproducteur, l'Association sportive des employés civils, refuse de toucher sa part des bénéfices. Elle sera intégralement versée dans la caisse de l'orchestre.

## Un éclatant vingt-cinquième anniversaire

Dès le mois de mai 1926, la direction de la Société symphonique travaille aux célé-brations prochaines de son 25e anniversaire. On songe tout d'abord à reprendre *La Rédemption* de Gounod ou encore à inviter une vedette internationale telle que Rosa Ponselle ou Maria Jeritza. Faute de budget, toutefois, on convient de présenter un grand concert symphonique au cours de la saison 1926-1927 avec des solistes locaux. Un événement tragique va retarder d'un an le projet. Le 3 janvier 1927, l'un des membres fondateurs et ancien président de la Société symphonique, le docteur Paul Livernois, meurt à l'âge de 43 ans, victime d'une intoxication alimentaire. Bien que les activités prévues pour cette saison suivent leur cours normal, il est impensable de faire une fête en période de deuil. La question du 25e anniversaire refait surface à la mi-mai 1927. Le 3 juin, on discute plus à fond du projet. Au cours de cette séance, l'abbé Pierre-Chrysologue DesRochers propose, qu'à l'occasion de son premier quart de siècle l'orchestre se dote d'une devise. Il en suggère une de son cru: *Arte alitur fulgetque* («L'art est ma nourriture et mon rayonnement»), qui est adoptée à l'unanimité.

La Société symphonique en 1928.

La date du concert de gala est fixée au 3 mai 1928. Comme il apparaît gênant de célébrer en 1928 le quart de siècle d'un orchestre fondé en 1902, soit 26 ans plus tôt, on choisit de situer à 1903 la date officielle de fondation, celle où l'Orchestre symphonique est devenu la Société symphonique. Dans un passage du programme souvenir, les deux rédacteurs de l'historique de l'orchestre, Albert Nicole et l'abbé DesRochers, justifient ainsi cette prise de position discutable: «Une des premières lois de l'histoire est d'être véridique et juste. En vérité et en justice, il convient de dire que l'initiative d'un orchestre symphonique revient aux jeunes de la première heure et que la fondation de la Société Symphonique de Québec, dans les cadres qu'elle a gardés jusqu'à ce jour, remonte à l'assemblée du 3 [sic] février 1903.» Pourtant, le premier chapitre des règlements de la Symphonie, imprimés pour la première fois en 1922, précise clairement que «la Société Symphonique de Québec fut fondée en octobre 1902» et l'en-tête du papier à lettres porte «fondée en 1902».

Le concert du 25<sup>e</sup> anniversaire est un grand moment dans la vie culturelle québécoise. Aussi, les gouvernements provincial et municipal votent-ils un octroi spécial de 500 $ chacun pour l'occasion, ce qui n'est pas un luxe quand on pense que l'Auditorium, seul théâtre digne d'accueillir un tel événement, coûte maintenant 600 $ par concert. Une campagne de publicité bien orchestrée permet de rejoindre un vaste auditoire. Le grand soir arrivé, la salle est bondée et l'on doit refuser de nombreux spectateurs — non sans en avoir autorisé plusieurs à assister au concert debout! Le premier ministre québécois Alexandre Taschereau, le lieutenant-gouverneur Narcisse Pérodeau et le maire Oscar Auger comptent parmi les invités d'honneur.

Après l'exécution du *God Save the King*, les 90 musiciens attaquent l'éclatante ouverture de *Rienzi* de Wagner. Elle est suivie de l'air «Ritorna vincitor» d'*Aïda* de Verdi chanté par Adine Gagnon-Tremblay et des *Variations sérieuses* pour piano seul de Mendelssohn jouées par Yvonne Hubert. Comme pièce de résistance, la Société symphonique a choisi la *Cinquième symphonie* de Beethoven, donnée pour la première fois intégralement et interprétée, selon *Le Soleil*, «avec une rare vigueur, un bon équilibre des parties, et une grande recherche des nuances». La seconde partie s'ouvre avec la *Mosaïque d'airs canadiens* de Joseph Vézina. La soirée prend fin avec la vibrante *Marche slave* de Tchaïkovski. L'enthousiasme est tel que les solistes et l'orchestre doivent multiplier les rappels.

Programme souvenir du concert du 25<sup>e</sup> anniversaire de la Société symphonique le 3 mai 1928. On peut y voir les armoiries de l'orchestre et sa toute nouvelle devise, *Arte alitur fulgetque* («L'art est ma nourriture et mon rayonnement»).

## Des finances saines

Les bénéfices de ce concert étant d'environ 2 000 $, le bilan financier est plus que positif. Jamais jusque-là l'orchestre n'a eu autant d'argent. Et les choses ne cessent de s'améliorer : dès 1929, le gouvernement Taschereau, plus sensible aux questions culturelles que son prédécesseur, fait passer de 400 $ à 1 000 $ sa subvention annuelle à l'orchestre de la capitale. Robert Talbot et ses troupes peuvent donc ébaucher de nouveaux projets en toute confiance. En décembre 1928, l'orchestre souligne, au Château Frontenac, le centenaire de la mort de Schubert. Le programme présente des extraits de la musique de scène de *Rosamunde*, la *Symphonie « Inachevée »*, le premier mouvement de la *Symphonie n° 6* et la célèbre *Marche militaire*, le tout agrémenté de lieder chantés par le baryton Jean Riddez, autrefois attaché à l'Opéra de Paris et maintenant installé au Québec.

Au printemps de 1930, la Symphonie présente, entre autres, deux concerts avec Arthur LeBlanc, maintenant élève au Conservatoire de Boston. Dans le programme du premier, donné le 25 avril, on peut lire la note suivante : « À l'occasion du cinquantenaire de l'hymne national, le public est invité à chanter lorsque l'orchestre jouera l'hymne patriotique de Routhier et Lavallée ». Le second concert est donné le 8 mai. Lors de ces deux soirées, le jeune violoniste exécute le *Concerto en fa dièse* de Vieuxtemps, la *Havanaise* de Saint-Saëns, les *Variations sur un thème de Tartini* de Kreisler, le *Scherzo-Tarentelle* de Wieniawski et l'*Ave Maria* de Schubert, qu'il interprète en duo avec Béatrice Gillis-Saint-Cœur, soprano de Boston.

Robert Talbot entouré de certains de ses musiciens lors d'un banquet.
On reconnaît le flûtiste Gustave Robitaille (4e), le corniste Albert Nicole (5e),
le violoncelliste Paul Robitaille (7e) et Raoul Vézina à l'extrême droite.

### La notoriété par «irradiation»

Au début de 1931, la Société symphonique fait son entrée dans la modernité. Depuis la fin de 1929, le gouvernement québécois a sa propre émission radiophonique, *L'Heure provinciale*. Diffusée les mardis et vendredis, cette émission aborde une multitude de sujets, qu'il s'agisse d'agriculture, d'hygiène, d'éducation, de gestion des forêts, du rôle de la femme dans le monde moderne, etc. Réalisée par Édouard Montpetit et animée par Henri Letondal, elle réserve aussi une place de choix à la musique. Le premier quart d'heure est consacré à la causerie d'un conférencier et les 45 dernières minutes à un programme musical. Bien que seule la station CKAC de Montréal en assure la diffusion au début, la Société symphonique ne croit nullement déplacé de participer à cette émission. Son premier concert «irradié», comme on disait à l'époque, a lieu le mardi 20 janvier sur les ondes de CKAC. Deux autres concerts sont diffusés les 17 février et 16 mars. Cette nouvelle formule permet à la Symphonie de se faire connaître ailleurs au Québec, et même aux États-Unis, comme on peut le constater par la provenance des lettres de félicitations que reçoit l'orchestre.

Pour des raisons budgétaires, *L'Heure provinciale* ne fait pas appel à la Société symphonique au cours de la saison 1931-1932. Il faudra attendre le 16 mai 1933 pour que reprenne la collaboration entre les deux organismes, qui se poursuivra jusqu'en 1936. À partir de 1933, CHRC diffuse également l'émission. Par ailleurs, le 6 juin 1933, l'orchestre se sera fait entendre pour la première fois de son histoire «de Halifax à Vancouver». L'occasion lui en est fournie par la Commission canadienne de la radio, ancêtre de l'actuelle Société Radio-Canada.

## La Symphonie au Palais

Dès 1920, un mouvement parrainé par la Société l'Athénée réclamait la construction d'un édifice « dédié aux Arts, Sciences et Lettres ». L'Auditorium ayant été définitivement converti en cinéma en 1929, un nouvel amphithéâtre devenait impératif. La crise des années trente va donner le coup de pouce nécessaire à l'entreprise, le chantier fournissant de l'emploi à plusieurs chômeurs. C'est ainsi qu'en octobre 1932 le Palais Montcalm est prêt à accueillir ses premières manifestations artistiques. Cette fois encore, la Société symphonique est invitée à inaugurer la nouvelle salle ce concert. La date du grand soir est fixée au vendredi 21 octobre. L'orchestre, fort de quelque 100 musiciens, un sommet dans son histoire, offre un programme d'œuvres de Gounod, Schubert, Grieg et Tchaïkovski ainsi que les prestations de deux solistes, le jeune ténor Roméo Jobin de Québec — qui n'a pas encore définitivement changé son prénom pour celui de Raoul — et la soprano Jeanne Dusseau, de Toronto.

Le Palais Montcalm ne se limite pas aux manifestations artistiques. Quelques semaines après son ouverture, la Symphonie est invitée à y participer à une manifestation politique à l'occasion de la nomination de Maurice Duplessis comme chef de l'opposition. Ses règlements ne lui permettant pas de prendre part à des événements de nature politique, l'orchestre décline cette offre.

## Un vent de changement

Le 24 janvier 1933, le Club musical reçoit la Symphonie pour son grand concert annuel au Château Frontenac. Le soliste est le baryton et compositeur bien connu Lionel Daunais. Deux mois plus tard, l'orchestre revient au Palais Montcalm pour son trentième anniversaire. Le pianiste Jean Beaudet y interprète le *Premier concerto* de Beethoven. Le programme comporte également l'ouverture d'*Iphigénie en Aulide* de

Programme de l'inauguration du Palais Montcalm le 21 octobre 1932. Les solistes étaient la soprano Jeanne Dusseau, Torontoise d'origine écossaise, et le ténor Raoul Jobin, qui employait encore son véritable prénom, Roméo.

Quatuor à vent formé de quatre instrumentistes
de la Société symphonique en 1934, soit, respectivement,
Gustave Robitaille (flûte), Albert-P. Tanguay (clarinette),
Jean Anctil (basson) et Maurice DeCelles (clarinette).
Différentes formations de musique de chambre émergeront
ainsi du sein de l'orchestre et se produiront en marge
des activités strictement symphoniques
(Ensemble instrumental du Québec,
Ensemble de cuivres de l'OSQ, etc.).

Gluck, la *Symphonie «Militaire»* de Haydn et la suite *Les Perses* de Xavier Leroux, une œuvre déjà fréquemment jouée par l'orchestre. Enfin, les 24 et 28 avril 1933, la Société symphonique accompagne la Chorale Haendel dans *La Rédemption* de Gounod à l'église Notre-Dame-du-Chemin. Parmi les solistes, on retrouve Thérèse Jobin, Marthe Lapointe, Gabrielle Bisson, Raoul Jobin et Louis Gravel.

Cependant, cette année-là, le leadership de Robert Talbot est remis en question par quelques-uns de ses musiciens. À l'assemblée générale du 29 mai, la direction tente de démentir les rumeurs qui circulent, mais il apparaît évident que l'on «jase» en coulisse. Talbot est certes un parfait gentleman, mais c'est un intellectuel sérieux et relativement effacé. De plus, des problèmes de santé (il doit demeurer assis durant les répétitions dont il ressort épuisé et en sueur) et des deuils rapprochés ont sapé son moral. Et celui de ses troupes s'en ressent.

En septembre 1934, le nouveau président Léandre Savard, favorable au changement, exprime le souhait que l'on invite «des directeurs étrangers», ajoutant que «ceci aurait certainement pour effet d'attirer à nos concerts des foules enthousiastes et intéressées». Il estime que «ce qui manque dans notre organisation [...] c'est de l'intérêt et un objectif en vue». Quelques très beaux concerts offerts durant cette période, dont l'exécution des grands chœurs des *Saisons* de Haydn en mai 1935, n'empêcheront pas la Société symphonique de sombrer bientôt dans une sérieuse crise d'identité. L'arrivée dans le paysage musical québécois d'un violoniste de 24 ans précipitera les choses…

### Le Cercle philharmonique de Québec

À la fin de juin de 1935, Edwin Bélanger rentre d'un séjour d'études de deux ans en France et en Angleterre. Ancien élève d'Alexandre Gilbert et de Robert Talbot, Prix d'Europe pour l'année 1933, Bélanger a profité de sa bourse non seulement pour parfaire son jeu instrumental, mais aussi pour travailler la direction d'orchestre. Ce nouveau venu intéresse grandement les « réformateurs » de la Société symphonique qui forment le projet de fonder un nouvel orchestre avec, à sa tête, le jeune Bélanger. Cette idée fait vite son chemin car, dès septembre 1935, les journaux annoncent la création du **Cercle philharmonique de Québec**. L'initiative première en revient à Jean-Charles McGee et à Paul-Eugène Jobin, eux-mêmes membres du comité de régie de la Société symphonique. Ils sont vivement encouragés dans leur projet par Alexandre Gilbert, qui a quitté ses fonctions de violon solo en 1934. L'idée de fonder un nouvel orchestre n'était d'ailleurs pas nouvelle, un Orchestre philharmonique de Québec ayant donné quelques concerts au début des années trente sous la direction du capitaine Charles O'Neill.

Le 10 décembre 1935, le Cercle philharmonique présente son premier concert au Palais Montcalm. Par souci de ménagement, on fait paraître en première page du programme la notice suivante : « LE CERCLE PHILHARMONIQUE DE QUÉBEC est heureux, au début de ses activités, de saluer cordialement toutes les organisations musicales de la ville de Québec, notamment ses Sociétés-sœurs : La Société Symphonique de Québec, La Petite Symphonie de Radio-Canada ». Lors de cette soirée, on peut entendre le *Concerto grosso*, opus 6 n° 10, de Haendel, la *Symphonie n° 92, « Oxford »*, de Haydn, le *Deuxième concerto* pour piano de Mendelssohn (interprété par Madeleine Létourneau, future madame Bélanger) et la *Petite Musique de nuit* de Mozart. Donné à guichets fermés, ce concert suscite l'admiration des auditeurs et des critiques. Quatre jours plus tard, le Cercle fait ses débuts radiophoniques à CRCK,

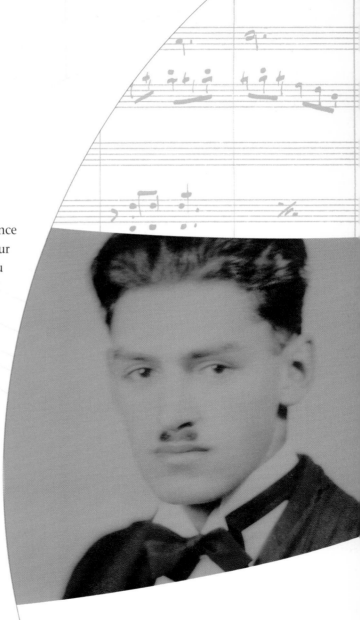

Jean-Charles McGee, principal fondateur du Cercle philharmonique de Québec en 1935.

Page suivante : Edwin Bélanger à l'époque de l'obtention de son Prix d'Europe.

47

première station de Radio-Canada à Québec. Trois autres concerts sont offerts au cours de la même saison. Des séries bien organisées qui se vendent bien se succèdent au cours des années suivantes.

## Jeunesse et innovation

Dès sa première saison, le Cercle philharmonique fait preuve d'avant-gardisme en mettant sur pied des concerts éducatifs gratuits pour la jeunesse. Le 9 février 1936, le premier de ces concerts est présenté au Palais Montcalm. Animée par Edwin Bélanger, la séance permet entre autres au jeune public de se familiariser avec les différentes familles d'instruments. La réaction des enfants est encourageante et les journaux saluent cette belle initiative. Quatre autres matinées du genre sont présentées en 1936, dont une à Montmagny. Malheureusement, les finances du Cercle l'empêchent de maintenir ce volet de ses activités.

Au cours de ses sept années d'existence, le Cercle philharmonique se démarque aussi par l'importance qu'il accorde au répertoire baroque, à peu près ignoré à la Société symphonique. On peut ainsi entendre les *Concertos brandebourgeois* de Bach, des œuvres de Haendel, Corelli, Purcell, Vivaldi et Geminiani. De plus, le Cercle donnera en première audition des succès comme le *Boléro* de Ravel ou le *Deuxième concerto* pour piano de Rachmaninov (avec la Québécoise Thérèse Lane) et créera quelques pièces de Lucien Vocelle, violoniste, altiste et chef adjoint de l'orchestre. Par ailleurs, si, à l'instar de la Symphonie, le Cercle se fait un point d'honneur de présenter des artistes locaux, dont plusieurs Prix d'Europe, il a aussi l'heureuse idée d'inviter quelques jeunes gagnants de concours internationaux comme les violonistes Carroll Glenn et David Sarser, ou la pianiste Charlotte Smale.

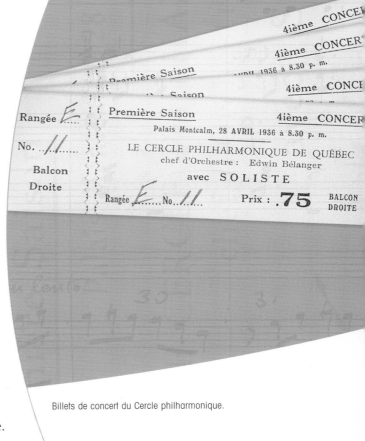

Billets de concert du Cercle philharmonique.

### L'imbroglio

Si, au Cercle philharmonique, tout baigne dans l'huile, il en va tout autrement à la Société symphonique. La plupart des membres du comité de régie réclament un changement de direction musicale à plus ou moins court terme. En septembre 1935, Talbot n'est embauché que pour une période de trois mois, ce qui constitue une entorse au règlement. En décembre, le même comité vote une résolution pour l'engagement d'un nouveau directeur, mais sans le quorum prescrit. Cette décision fait bondir les fidèles de Talbot. Six d'entre eux présentent une pétition exigeant la convocation d'une assemblée générale extraordinaire afin de clarifier la situation… ce qui leur vaut l'expulsion pour indiscipline et insubordination ! Profondément blessé, Talbot abandonne à l'un de ses opposants, Wilbrod Dubé, la direction du concert de *L'Heure provinciale* du 17 mars 1936. La grogne s'installe entre les partisans des deux camps. Aux élections du 20 avril, une faible majorité de membres congédient le comité sortant. Raoul Vézina, partisan de Talbot, défait Léandre Savard et devient président.

Jugeant les élections illégales, sous prétexte que les six exclus ont été réadmis sur motion et ont ainsi pu voter, le comité sortant convoque une nouvelle assemblée générale pour le 18 mai. Vingt-six membres assistent à cette assemblée et de nouvelles élections ont lieu séance tenante. Dès lors, deux comités s'affrontent. Il en résulte, pour reprendre l'expression employée alors, un « imbroglio » sans précédent qui prend des allures de lutte à finir entre deux clans, les pro-Talbot et les réformateurs. Celui des deux qui ralliera le maximum de musiciens à sa cause au début de la saison 1936-1937 se trouvera légitimé. À la répétition convoquée pour le 5 octobre par le comité Vézina, il apparaît clair que Talbot a gagné la partie.

La Chorale Laval et la Société symphonique lors de la présentation de l'oratorio *Les Sept Paroles du Christ* de Théodore Dubois le 25 février 1937. La soprano solo est Corinne Lagarde et le violon solo, Antoine Montreuil.

Le 9 novembre suivant, les 31 musiciens qui n'ont pas assisté aux répétitions sont officiellement expulsés. Si Raoul Vézina n'hésite pas à signer l'avis d'exclusion de certains d'entre eux, il a le cœur serré en rayant de la liste les noms de vieux compagnons comme Albert Nicole, Alphonse Bouchard et Émile Drolet, trois membres fondateurs qui, avec lui, un certain 3 octobre 1902, réalisaient un grand rêve…

### God Save the King

Il faudra encore un an avant que l'affaire ne soit définitivement réglée. Ce n'est qu'en octobre 1937, au terme de procédures judiciaires, que les derniers résistants du «comité crampon», selon l'expression de la direction, consentent enfin à rendre à la Société symphonique les effets réclamés.

Pendant que les administrateurs s'épuisent en démarches de toutes sortes, la Symphonie retrouve une certaine vitalité artistique — certainement due à l'émulation créée par la présence du Cercle. La saison 1936-1937 s'avère nettement plus active que la précédente. Quatre concerts sont offerts de janvier à mai 1937. Le 25 février, l'orchestre et la Chorale Laval présentent *Les Sept Paroles du Christ* de Théodore Dubois avec une jeune soprano du nom de Corinne Lagarde, future madame Jean Lesage, qui se fait entendre de nouveau les 10 et 12 mai dans le cadre des célébrations locales du couronnement de George VI.

Deux mois plus tard, l'orchestre participe au Congrès de la langue française organisé par la Société du parler français qui se déroule au Colisée du 27 juin au 1er juillet 1937. Comme aux séances annuelles, la musique s'intercale entre les discours des conférenciers. Le 29 juin, en fin de soirée, un petit prêtre à lunettes s'avance vers la tribune pour prononcer la dernière allocution prévue au programme. Une foule en délire salue son arrivée pendant qu'à l'extérieur le tonnerre gronde. Le titre de sa conférence

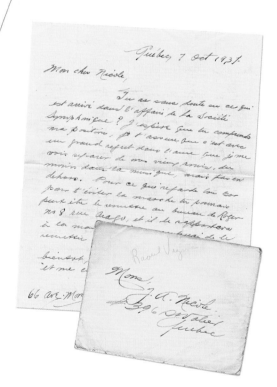

Lettre de Raoul Vézina signifiant au corniste Albert Nicole son renvoi de la Société symphonique. Nicole répondit à Vézina en ces termes :
«Oui, cher garçon, je comprends ta position, et sois assuré que tous les anciens amis de ton cher vieux père, les membres fondateurs en particulier, déplorent la nécessité qui te force de nous tourner le dos […]. Pour moi l'affaire est classée, sinon oubliée… »

paraît bien anodin : *L'Histoire, gardienne de traditions vivantes*. Mais bientôt le petit prêtre s'enflamme : « Qu'on le veuille ou pas, notre État français, nous l'aurons [...]. Les snobs, les bonne-entendistes, les défaitistes peuvent nous crier tant qu'ils voudront : "Vous êtes la dernière génération des Canadiens français !" Je leur réponds avec toute la jeunesse : "Nous sommes la génération des vivants. Vous êtes la dernière génération des morts !" » Ces derniers mots de Lionel Groulx soulèvent la foule et provoquent un profond malaise chez les évêques présents. Après la longue ovation qui suit, Talbot reprend la baguette et, sans rien laisser paraître de son propre émoi, dirige les dernières pièces de la soirée… *Ô Canada et God Save the King* !!!

### Les « Concerts symphoniques »

Le 27 octobre 1938, la Société symphonique accueille Arthur LeBlanc, fraîchement rentré d'Europe. Le jeune virtuose tient à présenter dans sa « ville d'inspiration », comme l'écrit *Le Soleil*, son premier concert en Amérique. Le violoniste interprète le *Concerto en mi mineur* de Mendelssohn et remporte un triomphe sans précédent. Il donne pas moins de six rappels. Ce succès arrive à point nommé car l'orchestre échafaude alors un grand projet, celui de présenter des saisons de concerts à la manière des orchestres professionnels des autres grandes villes d'Amérique du Nord — comme lui-même l'avait fait jusqu'à la Première Guerre mondiale.

Le Colisée de Québec (l'actuel Pavillon de la jeunesse d'ExpoCité) tel qu'il apparaissait lors du Congrès de la langue française en 1937.

Pour atteindre ses objectifs, l'orchestre croit utile de se doter d'une nouvelle charte (datée du 14 octobre 1938), en vertu de laquelle trois catégories d'instrumentistes sont établies. On comptera désormais des professionnels, des semi-professionnels et des amateurs. Des cachets calculés en fonction du statut de chacun, et approuvés par le tout nouveau Syndicat des musiciens de Québec, leur seront versés. Les professionnels toucheront 1,50 $ par répétition et 3 $ par concert, les semi-professionnels respectivement 1 $ et 2 $. Quant aux amateurs, qui composent toujours la majorité des effectifs, ils recevront de modestes cachets lorsqu'il y aura des profits.

Le premier des trois concerts est présenté le lundi 23 janvier 1939. Bien que la pièce de résistance soit la *Symphonie nº 101*, « *L'Horloge* », de Haydn, le clou de la soirée est la présentation de deux œuvres d'un enfant de 12 ans, Clermont Pépin, soit une *Symphonie* orchestrée par Robert Talbot puis un *Menuet* pour cordes que dirige le petit compositeur en personne ! Henri Dutil, du *Soleil*, ne tarit pas d'éloges à l'endroit du « jeune prodige beauceron ». Pour le journaliste, « il était visible, même aux moins informés, que ce petit bonhomme qui, pour la première fois de sa vie tenait le bâton de chef d'orchestre, était vraiment possédé par le génie de la musique ». Au deuxième concert de série, le mardi 28 février, le soliste invité est le pianiste Jean Dansereau qui interprète le *Troisième concerto* de Beethoven. Le concert suivant est donné le 30 mars en collaboration avec la Chorale Laval. On y présente l'oratorio *Les Mystères douloureux* de Dominique-Charles Planchet. En première partie, Arthur LeBlanc joue le *Concerto en mi majeur* de Bach. Comme à chacun de ses concerts, il consent plusieurs rappels.

Clermont Pépin, 12 ans, dirigeant la première exécution de son *Menuet* avec la Société symphonique le 23 janvier 1939. « Ce garçonnet manie le bâton de chef d'orchestre avec une maîtrise surprenante » d'écrire Henri Dutil dans *Le Soleil*. À gauche, on reconnaît Edwin Bélanger qui, tout en dirigeant le Cercle philharmonique, était membre de la Société symphonique.

Quelques musiciens et amis du Cercle philharmonique se préparant à aller entendre un concert donné à Montréal par l'Orchestre de Philadelphie, dirigé par Eugene Ormandy, en mai 1938. On reconnaît Louis-Georges Julien (1er), futur trésorier et administrateur-gérant de l'OSQ, Edwin Bélanger (3e), sa future épouse Madeleine Létourneau (7e), Lucien Vocelle (8e), Paul-Eugène Jobin (9e) et Jean-Charles McGee (11e).

La préparation de saisons bien structurées suppose certains changements dans la gestion de l'orchestre. En novembre 1939, Raoul Vézina estime qu'il est temps pour la Société symphonique de porter à la présidence une personne influente. Le 10 décembre, le juge Thomas Tremblay lui succède. À la fin de l'année, un comité de propagande, comité féminin avant la lettre, voit le jour. La présidente en est madame Thérèse M. Galipeault, future présidente du Club musical.

### Vous avez dit « rivalité » ?

L'initiative des « Concerts symphoniques » est saluée par le docteur Louis-Philippe Roy de *L'Action catholique* qui encourage vivement la population québécoise à donner « une chance à la Symphonie ». Le Cercle philharmonique, qui offre des séries de concerts depuis quelques années déjà, estime que le docteur Roy est injuste envers lui, comme l'explique son président, Paul-Eugène Jobin, dans une lettre parue dans *L'Action catholique*. Louis-Philippe Roy croit bon de faire la mise au point suivante : « Ce n'est nullement dans le but de diminuer le mérite du Cercle philharmonique que nous avons appuyé l'appel de la Société symphonique. Et si nous avons parlé de "concerts symphoniques" comme il s'en donne ailleurs, nous avons voulu faire allusion aux grands, très grands concerts symphoniques ». Du même souffle, Roy ajoute : « Mais pour en arriver là, il faudrait l'union de tous les musiciens [...]. Que de beaux et grands concerts symphoniques les deux corps réunis pourraient donner ! » Pour la première fois, l'idée d'une fusion est lancée...

Si elle est bien réelle, la rivalité entre les deux formations apparaît aussi bien cocasse car, en raison d'une sérieuse pénurie de bons musiciens, plusieurs instrumentistes font volontiers la navette entre les deux ensembles. En 1940, la Société symphonique compte une soixantaine de musiciens contre une cinquantaine pour le Cercle. Sur ce nombre, près de 30 sont membres des deux orchestres. Edwin Bélanger lui-même ne voit aucun inconvénient à jouer comme violoniste ou altiste au sein de la Société symphonique. Et Robert Talbot, dont on ne saurait trop admirer la grandeur d'âme, va jusqu'à lui offrir de se produire comme soliste au concert du 22 novembre 1937.

## Espoirs... et chant du cygne

En dépit du succès de ses concerts de série, et bien qu'à partir de 1939 le gouvernement du Québec ait fait passer son octroi de 1 000 $ à 1 500 $, la Société symphonique ne fait pas ses frais. Pour elle autant que pour le Cercle philharmonique, l'heure est aux grandes décisions. Diverses avenues sont explorées. Le Cercle fait les premiers pas : au début de mai 1939, ses dirigeants sollicitent une rencontre avec ceux de la Société symphonique pour organiser une saison de concerts conjoints. Le comité ne peut se rendre immédiatement à cette invitation, Talbot et 17 de ses musiciens étant absorbés par la préparation du programme musical d'un dîner offert par le gouvernement du Québec au roi George VI et à la reine Élisabeth, le 17 mai, au Château Frontenac. Les premières discussions n'aboutissent à rien de concret. Un an plus tard, elles achoppent toujours, essentiellement sur le choix du directeur musical. Le Cercle souhaite en effet voir Edwin Bélanger accéder à la direction du nouvel orchestre, reléguant ainsi Talbot à un poste de chef adjoint. Le 21 octobre 1940, le juge Tremblay, nouveau président de la Société symphonique, écrit à son homologue du Cercle philharmonique, Paul-Eugène Jobin, que le bureau de direction est prêt « à accepter ces deux messieurs à condition qu'ils soient sur un pied d'égalité ».

Banquet donné le 17 mai 1939 au Château Frontenac à l'occasion de la visite royale. Dix-sept des musiciens de la Société symphonique furent chargés d'en assurer le programme musical. Parmi les convives, on reconnaît le premier ministre canadien William Lyon Mackenzie King, le cardinal Rodrigue Villeneuve, archevêque de Québec, le roi George VI, le premier ministre québécois Maurice Duplessis et la reine mère Élisabeth.

Jean Beaudet, chef invité de la Société symphonique lors du concert du 14 avril 1940. Quelques musiciens portent l'uniforme militaire.

Pendant que les administrateurs cherchent à régler le problème de la fusion, les deux orchestres poursuivent leurs activités respectives. Jean Beaudet, premier véritable chef invité à la Société symphonique, assure la direction des deux concerts de série de la saison 1939-1940. La présence d'Arthur LeBlanc au concert du 28 janvier 1940 attire un public considérable.

Trois chefs se partagent la direction des trois concerts de série de la saison 1940-1941 de la Société symphonique. Le 26 janvier 1941, Talbot monte au podium pour la dernière fois ; la pianiste Gilberte Martin interprète pour l'occasion le *Concerto nº 26*, « *du Couronnement* », de Mozart. Le concert du 23 février est dirigé par Maurice Blackburn qui y crée sa *Fantaisie en mocassins*. Le 16 mars, le tout dernier concert de la Société symphonique est dirigé par le chef belge Désiré Defauw, nouveau chef de l'Orchestre symphonique de Montréal. Son programme est entièrement consacré à Beethoven : ouverture d'*Egmont*, *Concerto pour violon*, avec Arthur LeBlanc, et *Cinquième symphonie*. Musicien d'expérience, Defauw transforme littéralement l'orchestre dont il obtient des résultats surprenants.

Le Cercle philharmonique de Québec en 1940.

## Le Cercle s'éteint

Des raisons techniques empêchent la Société symphonique de se produire au cours de la saison 1941-1942. Le Cercle philharmonique, pour sa part, termine sa carrière en beauté. Le 28 décembre, le pianiste Yvon Barette joue le *Premier concerto* de Liszt dans un programme où figure aussi l'éclatant prélude du troisième acte de *Lohengrin* de Wagner. Au concert suivant, le 8 février 1942, on peut entendre le *Concerto brande-bourgeois n° 3* de Bach, le *Quintette pour clarinette* de Mozart, joué par cinq instrumentistes du Cercle, dont Edwin Bélanger, la *Symphonie n° 45*, « *Les Adieux* », de Haydn et la première suite de *Peer Gynt* de Grieg. Enfin, le concert final, donné le 11 avril, comprend la *Symphonie « Jupiter »* de Mozart, le *Concerto en ré mineur* de Wieniawski (le soliste est le jeune David Sarser qui joue sur un Stradivarius) et la suite de *Casse-Noisette* de Tchaïkovski.

Par tradition, la *Symphonie « Les Adieux »* de Haydn s'achève par une mise en scène qui explique son sous-titre : la texture instrumentale s'allège graduelle-lement et chacun des instrumentistes quitte son pupitre après avoir éteint une bougie. À la fin, il ne reste que deux violons. Quelques jours après le concert du 8 février, le chroniqueur Rolland Gingras de *L'Action catholique* écrit : « Puis ce fut la Symphonie (dite du Départ), de Haydn, qui causa des surprises aux gens qui en ignorent la particularité. On avait mis une note sur le programme, mais il faut croire que tout le monde ne l'avait pas lue, puisque pendant la traditionnelle promenade au foyer nous avons entendu une dame dire à son voisin : "Ç'a pas d'bon sens d'partir comme ça, y vont s'faire critiquer, les journaux vont en parler d'main, c'est sartain " »...

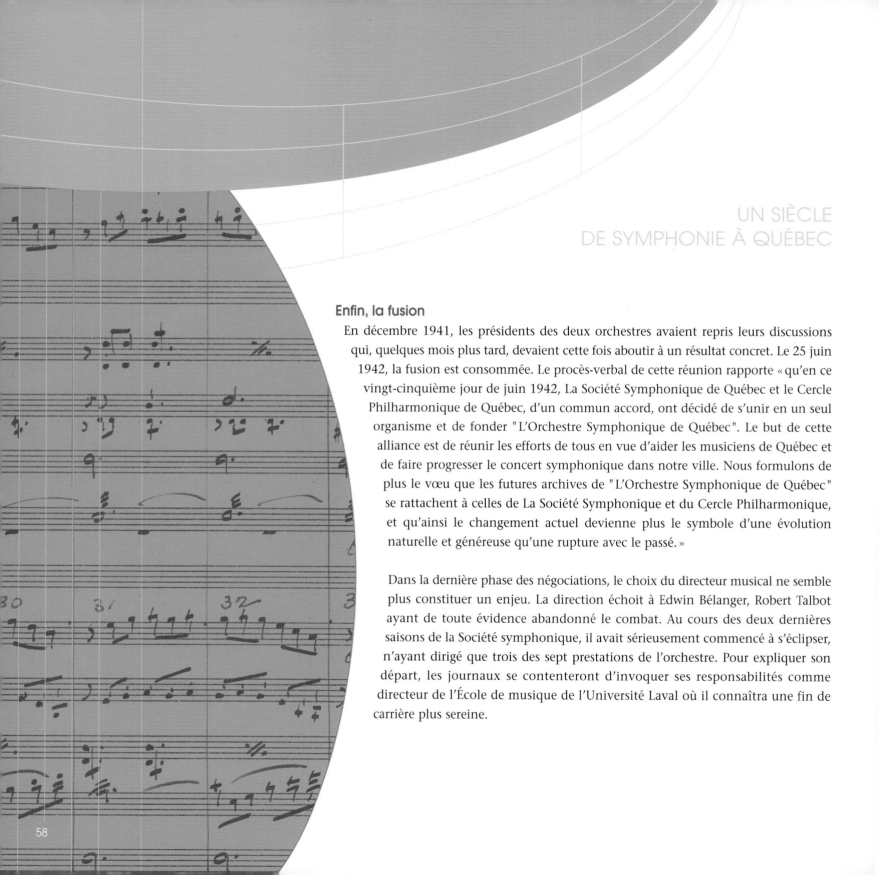

### Enfin, la fusion

En décembre 1941, les présidents des deux orchestres avaient repris leurs discussions qui, quelques mois plus tard, devaient cette fois aboutir à un résultat concret. Le 25 juin 1942, la fusion est consommée. Le procès-verbal de cette réunion rapporte « qu'en ce vingt-cinquième jour de juin 1942, La Société Symphonique de Québec et le Cercle Philharmonique de Québec, d'un commun accord, ont décidé de s'unir en un seul organisme et de fonder "L'Orchestre Symphonique de Québec". Le but de cette alliance est de réunir les efforts de tous en vue d'aider les musiciens de Québec et de faire progresser le concert symphonique dans notre ville. Nous formulons de plus le vœu que les futures archives de "L'Orchestre Symphonique de Québec" se rattachent à celles de La Société Symphonique et du Cercle Philharmonique, et qu'ainsi le changement actuel devienne plus le symbole d'une évolution naturelle et généreuse qu'une rupture avec le passé. »

Dans la dernière phase des négociations, le choix du directeur musical ne semble plus constituer un enjeu. La direction échoit à Edwin Bélanger, Robert Talbot ayant de toute évidence abandonné le combat. Au cours des deux dernières saisons de la Société symphonique, il avait sérieusement commencé à s'éclipser, n'ayant dirigé que trois des sept prestations de l'orchestre. Pour expliquer son départ, les journaux se contenteront d'invoquer ses responsabilités comme directeur de l'École de musique de l'Université Laval où il connaîtra une fin de carrière plus sereine.

Edwin Bélanger en compagnie de Carroll Glenn, prix Town Hall 1939 et épouse du pianiste Eugene List. La jeune musicienne se produisit dans le *Concerto pour violon* de Tchaïkovski le 5 mai 1940. Chef de la musique du Royal 22e Régiment, Edwin Bélanger dirigeait ses concerts en uniforme durant la guerre et parfois encore après la victoire.

# GLANURES MUSICALES...

- 1924 : création de *Vive la Canadienne*, opérette d'Omer Létourneau. Suivront *Coup d'soleil* (1930) et *Mam'zelle Bébé* (1932).

- 1928 : (mai) Festival canadien de la Chanson et des Métiers du Terroir, dirigé par Marius Barbeau et Harold Eustace Key. On y présente notamment *Le Jeu de Robin et Marion* d'Adam de la Halle, compositeur du XIII$^e$ siècle.

- 1929 : (17 décembre) le pianiste et compositeur Nicolas Medtner en récital au Club musical.

- 1932 : (12 janvier) récital de la contralto Marian Anderson au Château Frontenac... qui refuse de l'héberger parce qu'elle est Noire ; elle reviendra en 1936. Elle était la tante de James DePreist.

- 1932 : (8 décembre) les Petits Chanteurs de Vienne donnent *Bastien et Bastienne* de Mozart au Palais Montcalm.

- 1933 : (10 janvier) Georges Enesco en récital au Château Frontenac (Club musical).

- 1933 : (21 février) récital de la soprano Ninon Vallin (Club musical).

- 1934 : (30 octobre) récital du baryton Ezio Pinza (Club musical).

- 1936 : (17 mars) le violoniste Nathan Milstein est l'invité du Club musical.

- 1936 : (26 novembre) récital du ténor John McCormack au Palais Montcalm.

- 1938 : (16 novembre) récital de la soprano australienne Marjorie Lawrence, l'une des grandes interprètes wagnériennes du siècle. En 1941, à 32 ans, elle fut frappée de poliomyélite ce qui la contraignit à ralentir sa carrière. Un film raconte son histoire tragique.

- 1939 : (31 janvier) le Club musical reçoit le violoniste Joseph Szigeti.

- 1939 : (11 avril) récital du pianiste Arthur Rubinstein au Château Frontenac (Club musical) ; il reviendra plusieurs fois à Québec, mais ne sera jamais soliste avec l'OSQ.

- 1940 : (30 janvier) récital du pianiste Rudolf Serkin au Château Frontenac (Club musical).

- 1942 : (20 janvier) le prestigieux Quatuor Primrose est l'invité du Club musical.

CHAPIT

# RENAISSANCE SYMPHONIQUE (1942-1960)
## L'EFFERVESCENCE DES ANNÉES BÉLANGER

Le 12 septembre 1942, les journaux annoncent officiellement la création de **l'Orchestre symphonique de Québec** qui regroupe 65 instrumentistes. Le docteur Louis-Philippe Roy qui, dès 1938, avait lancé l'idée du regroupement des musiciens de la capitale, se réjouit de la nouvelle: «Il ne fait aucun doute que la musique symphonique va prendre un nouvel essor. L'union fait la force; et pour avoir de la belle musique, il faut de l'harmonie. L'entente entre les musiciens est une première condition de progrès. [...] Bonne chance à l'Orchestre Symphonique! Félicitations à ceux qui ont facilité sa naissance et qui ont pris la ferme résolution de lui assurer une existence brillante» (*L'Action catholique*, 18 septembre 1942).

### Les fruits de la fusion

Les effets de la fusion se font bientôt sentir, notamment à l'égard du financement. Le gouvernement Godbout accorde une subvention annuelle de 2 000 $ à l'orchestre, montant qui sera porté à 2 500 $ dès 1943. L'entreprise privée se montre elle aussi beaucoup plus ouverte à soutenir un seul ensemble, d'autant plus que le conseil d'administration de l'OSQ compte maintenant plusieurs personnalités influentes dont quelques hommes d'affaires. Ces conditions pavent la voie à une ère nouvelle. Edwin Bélanger, qui avait fait des miracles avec les moyens financiers dérisoires du Cercle philharmonique, va ainsi pouvoir donner sa pleine mesure.

Edwin Bélanger à l'époque de la fusion. Bélanger sera un chef dynamique et compréhensif pour ses musiciens. Après les répétitions des œuvres les plus difficiles, il dira presque immanquablement: « On est passés au travers ».

Wilfrid Pelletier au début des années quarante.

Pour Paul-Eugene Jobin
amitiés
Wilfrid Pelletier
1944

Dès la première saison, on assiste à une multiplication de projets novateurs. Pour rehausser le niveau d'ensemble, qui laisse encore beaucoup à désirer, Bélanger organise des répétitions libres pour les non-professionnels. Également préoccupé par la relève, il met sur pied un orchestre « préparatoire » qu'il confie à Lucien Vocelle. L'ensemble est formé de jeunes musiciens appelés à joindre éventuellement les rangs de l'orchestre. Dans le même esprit, il relance les concerts éducatifs, activité qui lui tient particulièrement à cœur.

### Soutenir l'effort de guerre

En septembre 1942, paraît une brochure annonçant les dates et le nom des solistes de la saison à venir. Les quatre concerts de série auront lieu le dimanche à 21 heures au Palais Montcalm. C'est néanmoins dans un concert hors série présenté au Manège militaire le 18 octobre 1942 que le nouvel Orchestre symphonique de Québec se produit pour la première fois. Il s'agit d'une soirée organisée par le Comité national des finances de guerre. La direction de ce concert est confiée à Wilfrid Pelletier, alors chef d'orchestre au Metropolitan Opera de New York. Les solistes sont la soprano Marcelle Denya, de l'Opéra de Paris, et Jacques Gérard, attaché au Met. Edwin Bélanger est violon solo pour la circonstance, mais dirige la première œuvre de la seconde partie. Au moment de lui céder le podium, Pelletier adresse la parole aux quelque 5 000 spectateurs réunis. Le chef invité se veut encourageant : « Vous avez ici à Québec le noyau d'un très bon orchestre ». Mais il ajoute : « Un orchestre, c'est un peu comme le vin : il faut du temps pour le faire vieillir ». Car le nouvel OSQ, tout réformé qu'il soit, demeure un ensemble amateur encore bien perfectible. Le commentaire d'un étudiant du nom de Georges Hall dans le *Carabin*, journal des étudiants de l'Université Laval, montre que l'orchestre est sur la bonne voie et qu'il arrive de loin : « Je ne retrouvais pas les sonorités rachitiques, les jaunes verdâtres qu'on nous servait souvent. »

## RENAISSANCE SYMPHONIQUE (1942-1960)

### Un chef aux idées multiples

Dans l'élaboration de ses saisons, Edwin Bélanger n'hésite pas à inclure et à diriger des œuvres du XXᵉ siècle, dont celles de plusieurs compositeurs québécois. Il continue notamment d'encourager Lucien Vocelle, comme il l'avait fait du temps au Cercle philharmonique. Il se fait en outre un devoir d'inviter d'autres chefs à se produire à l'orchestre. Pionnier des concerts éducatifs, il consacre aussi une grande partie de ses énergies aux matinées pour enfants. Au cours des saisons à venir, pratiquement tous les concerts de série, donnés le dimanche, sont précédés la veille d'une matinée à laquelle participe le soliste invité du concert principal.

La saison 1942-1943 connaîtra un franc succès. Le premier concert de série a lieu le 15 novembre. On y joue l'ouverture d'*Oberon* de Weber, la *Pastorale* de Beethoven, le *Premier concerto* de Liszt et le *Konzertstück* de Weber (avec la pianiste Lubka Kolessa) pour finir avec la flamboyante *España* de Chabrier. Le deuxième concert, présenté le 6 décembre et dirigé par Gilbert Darisse, violon solo depuis 1938, ne fait appel qu'aux cordes qui interprètent, entre autres, le *Concerto grosso nᵒ 3* de Corelli, la *Sérénade pour cordes* d'Elgar et la *Suite Holberg* de Grieg. Le hautboïste Claude Barron se joint à l'ensemble pour deux œuvres, soit un quatuor de Mozart et un concerto de John Barbirolli d'après des thèmes de Pergolèse.

Donné le 31 janvier 1943, le troisième concert est constitué d'œuvres de Gluck, Bach, Wagner et Johann Strauss. On donne aussi la *Symphonie « Militaire »* de Haydn dont le sous-titre est justifié par l'emploi d'une importante percussion dans le deuxième mouvement. Cela surprend public et critiques, dont Paul-A. Audet de *L'Événement* qui trouve que le cymbaliste « y est allé un peu fort ». Georges Hall adopte un ton plus piquant : « Le troisième concert de la Société Symphonique [sic] se serait passé sans incident s'il n'y avait eu un homme formidable pour sauver la situation.

La pianiste Lubka Kolessa (1902-1997) d'Ottawa, qui inaugura les concerts de série après la fusion en 1942. Elle devait reparaître à l'OSQ en 1946 et en 1954. Pédagogue recherchée, elle eut notamment pour élèves Mario Bernardi, Louis-Philippe Pelletier et Clermont Pépin.

Il jouait les cymbales. Et quand son tour est venu, d'un seul coup (et quel coup!) il a impressionné tout le monde. L'auditoire est resté un moment sidéré, puis il a souri. Mais l'autre, par conscience professionnelle, répétait à chaque mesure son fameux bruit de collision. Pauvre Haydn! Pourquoi, aussi, a-t-il composé une symphonie "militaire"? Ça lui apprendra.»

Lors du dernier concert de la saison, le 21 mars 1943, l'orchestre donne l'ouverture de *Guillaume Tell* de Rossini, la *Petite Suite* de Debussy et la *Symphonie du Nouveau Monde* de Dvořák. Cette fois, Georges Hall note les progrès de l'orchestre qui lui paraît «plus uni, plus discipliné que d'habitude». Il souligne «le bon travail accompli par les organisateurs de cette série. L'orchestre n'est pas encore mis au point comme l'administration, mais son œuvre est déjà commencée et elle sert noblement la cause de la musique».

La veille de ce concert, avait eu lieu la première matinée pour les enfants. Dans son mot de bienvenue, le juge Tremblay, toujours président de l'OSQ, avait affirmé vouloir par cette activité «vulgariser la musique, familiariser les auditeurs des concerts de demain et recruter de futurs musiciens». Cette dernière question constitue l'un des principaux enjeux des éducateurs musicaux du Québec de cette époque; c'est précisément ce problème qui, un an auparavant, avait conduit à la mise sur pied des conservatoires de musique de la province, grâce essentiellement à l'initiative de Wilfrid Pelletier.

La saison 1942-1943 s'achève par un concert hommage au compositeur Calixa Lavallée dont on célèbre le centenaire de la naissance. Le programme est exclusivement constitué d'œuvres québécoises, dont l'*Adagio* de Robert Talbot et la valse *Souffle parfumé* de Joseph Vézina. Au cours de la soirée, le premier ministre québécois

Adélard Godbout ainsi que Maurice Hébert, critique littéraire et père de la romancière Anne Hébert, prononcent deux causeries sur le compositeur du *Ô Canada*, dont l'exécution apparaît incontournable en pareille occasion.

Le bilan de cette première année se révèle on ne peut plus positif. Dans son rapport, l'administrateur-gérant de l'orchestre, Paul-Eugène Jobin, annonce que 1 294 abonnements ont été vendus, sur un total possible de 1 374. Jobin rend également compte de statistiques sur la provenance des abonnés : 47 % d'entre eux habitent le secteur compris entre la rue des Érables et la basilique, 11 % proviennent des quartiers Belvédère et Saint-Sacrement, 11 % habitent Saint-Roch et Jacques-Cartier, 6 % Saint-Sauveur et Saint-Malo, 6 % Limoilou et Saint-François-d'Assise et, enfin, 19 % viennent de la banlieue (Sillery, Sainte-Foy, Loretteville, Beauport et Lévis). Au cours des années suivantes, les chiffres révéleront un déplacement sensible des abonnements vers les secteurs périphériques.

## L'éclectisme à l'honneur

Pour sa deuxième saison, Edwin Bélanger propose quatre concerts qui vont encore plus loin dans l'éclectisme. Au programme du premier, donné le 7 novembre 1943, figurent la *Symphonie « Italienne »* de Mendelssohn, le *Deuxième concerto* pour piano de Rachmaninov joué par Ross Pratt, le *Prélude à l'après-midi d'un faune* de Debussy et *La Moldau* de Smetana. « Programme de première qualité, note Georges Hall. Même si on pouvait relever des imperfections dans l'exécution, j'ai trouvé bon que nos musiciens s'attaquent à ces pièces difficiles. » Hall s'extasie sur le jeu de Pratt dans le redoutable concerto de Rachmaninov, mais relève avec son discernement habituel les faiblesses de l'orchestre, en partie excusables en raison de la chaleur qu'il faisait sur scène : « Le son des instruments à vent montait, celui des cordes baissait. »

Le 12 décembre, le public est convié à une soirée lyrique avec l'ensemble à cordes de l'orchestre et le ténor Léopold Simoneau, alors âgé de 26 ans. Celui qui allait devenir l'un des grands artistes lyriques du XXe siècle essuie une critique dévastatrice de la part de Paul-A. Audet de *L'Événement* : « M. Simoneau possède une voix de ténor qui est fort belle et souple mais qui, malheureusement, n'est pas encore très juste. Il est, de plus, affligé d'un défaut de respiration qu'il devrait s'empresser de corriger. C'est ce qui explique son manque de puissance dans les notes basses. Il semble alors hors d'haleine, tout simplement parce qu'il y est allé un peu trop généreusement afin de réussir une [note] forte quelconque. » Ce jugement est confirmé par Georges Hall qui trouve lui aussi que le chanteur natif de Saint-Flavien dans Lotbinière a tendance à malmener « les quelques notes qu'il veut à tout prix "pousser" ; elles restent affreusement ouvertes et disgracieuses ». Paradoxalement, malgré ces commentaires sévères, les deux critiques prédisent une brillante carrière au jeune artiste !

Donné le 30 janvier 1944, le troisième concert de la saison apparaît comme le plus original en ce qu'il est exclusivement constitué d'œuvres du XXe siècle. Le soliste est le pianiste montréalais Allan McIver, surtout connu comme accompagnateur du célèbre Trio lyrique de Lionel Daunais. Il se fait tout d'abord entendre dans la création mondiale d'une œuvre de Morris Davis, réalisateur à Radio-Canada, intitulée *Blues and Finale*. Il enchaîne avec la *Rhapsody in Blue* de Gershwin qui lui vaut de donner en rappel « deux "jazz" enlevants ». *Le Soleil* voit dans le fait de présenter un programme de musique moderne « un signe des temps dans la ville réputée la plus traditionaliste du continent ».

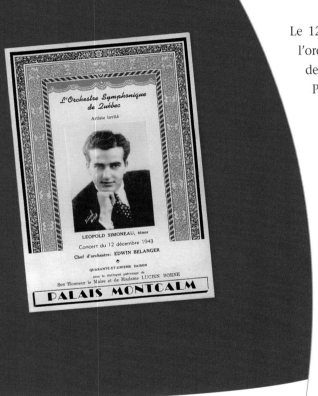

Programme du premier concert du ténor
Léopold Simoneau avec l'OSQ le 12 décembre 1943.

Trois jours plus tard, lors de la séance de la Société du parler français du 2 février, l'OSQ accueille le violoniste Henryk Szeryng qui joue le *Rondo capriccioso* de Saint-Saëns. Alors âgé de 25 ans à peine, le jeune Polonais n'est pas encore une sommité et sa présence passe presque inaperçue. Sa prestation n'en est pas moins éblouissante. Notons que c'est Gilbert Darisse qui dirige l'orchestre lors de cette séance à laquelle participe, entre autres, le linguiste bien connu Jean-Marie Laurence.

### Toujours plus de concerts

Au début de la saison 1944-1945, la direction de l'OSQ est fière d'annoncer qu'à la suite du succès remporté l'année précédente le nombre des concerts de série passera de quatre à six et celui des matinées, de quatre à cinq. Les concerts du 25 février et du 25 mars 1945 ont une connotation particulière. Le premier est dirigé par le jeune Clermont Pépin, maintenant âgé de 19 ans, qui fait entendre en première mondiale son *Thème et variations* pour orchestre à cordes. Au même programme figurent le *Concerto en ré mineur* pour deux violons de Bach joué par Gilbert Darisse et Edwin Bélanger, ainsi que diverses pièces vocales chantées par la contralto Gabrielle Bisson, petite-fille de Joseph Vézina.

Le concert du 25 mars présente également une création. Il s'agit cette fois d'un poème symphonique de Lucien Vocelle intitulé *Edith Cavell*, en référence à l'infirmière anglaise fusillée par les Allemands en 1915. L'œuvre cite le *God Save the King*, la marche *Pomp and Circumstance no 1* d'Elgar et *La Marseillaise*. Suit le *Concerto en la mineur* de Schumann interprété par le pianiste Georges Savaria, fraîchement rentré d'Europe où il avait réussi à s'échapper d'un camp de concentration.

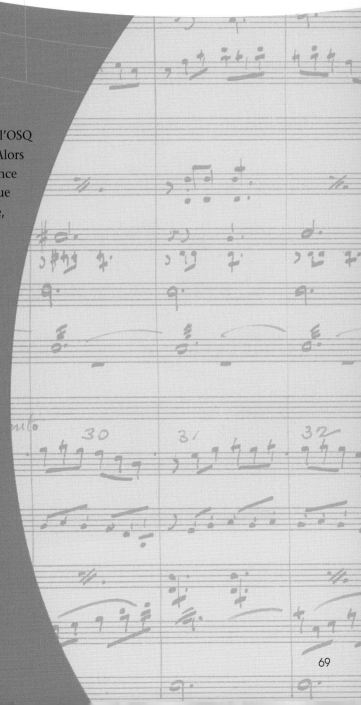

Frontispice des programmes de la saison 1945-1946.

Le caractère novateur et audacieux des premières saisons du nouvel OSQ suscite l'admiration du journaliste Marcel Valois de *La Presse* qui, dans un article élogieux, s'extasie de tant de diversité et d'originalité dans le répertoire de l'orchestre. «Voilà qui sort des sentiers battus», affirme-t-il. Valois vante les mérites de l'OSQ et termine son article en formulant le souhait que l'orchestre québécois puisse se faire entendre à Montréal dans un proche avenir. Ce vœu ne sera pas exaucé avant 1966.

### À la découverte de jeunes talents

La saison 1944-1945 voit aussi la mise sur pied d'un concours pour jeunes solistes dont le grand vainqueur sera désigné par le public des matinées. Une première épreuve éliminatoire devant jury permettra de sélectionner les cinq finalistes. Lors d'une matinée ultérieure, le jeune public votera pour le soliste de son choix. Celui qui obtiendra le plus grand nombre de voix remportera le premier prix.

Lors de la matinée du 24 mars 1945, l'assistance rend le verdict suivant: la pianiste Jeannine Lachance, 12 ans, est déclarée gagnante avec 341 votes. Elle est suivie par la soprano Doreen McNamara, 19 ans (334 voix), par le ténor Pierre Boutet, 19 ans (202 voix), par la pianiste Madeleine Jean, 16 ans (162 voix), et par la violoniste Jeannine Daigle, 16 ans, qui obtient pour sa part 78 voix. La gagnante se voit remettre un chèque de 15 $... La formule paraît intéressante si bien que le concours est repris annuellement jusqu'à la fin des années 1950. L'édition 1947-1948 couronnera un jeune ténor, un certain Richard Verreau qui, lors de l'épreuve finale du 24 avril 1948, obtient pas moins de 406 voix. Il est suivi du violoniste Raymond Dessaints qui en recueille 310.

### L'imagination au pouvoir

Toujours fidèle à sa mission éducative, l'OSQ décide pour sa saison 1945-1946 d'offrir une programmation dont «70% des pièces choisies seront jouées pour la première fois à Québec». Parmi elles figurent le *Premier concerto* pour piano de Tchaïkovski, l'ouverture *Leonore nº 3* de Beethoven, les *Gymnopédies* de Satie (dans l'orchestration de Debussy), le *Concerto en ré* pour violoncelle de Haydn avec Roland Leduc comme soliste, la *Fugue pour 18 violons* du compositeur russo-américain Arcadi Dubenski, la *Rhapsodie sur un thème de Paganini* de Rachmaninov jouée par Paule Bailly, prix d'Europe 1939, la *Troisième suite* de Bach et plusieurs autres. Le chef et compositeur Jean Vallerand, qui dirige le concert du 16 décembre 1945, y fait entendre son poème symphonique *Le Diable dans le beffroi* qui reçoit un bon accueil. Deux mois plus tard, le 20 février 1946, l'orchestre participe pour la dernière fois à la séance annuelle de la Société du parler français, après 42 ans de fidélité.

À l'été de 1946, l'OSQ lance une série de «Concerts sous les étoiles» présentés au Stade municipal. Le premier est donné le mercredi 16 juin avec la contralto Herta Glaz du Metropolitan Opera, qui chante notamment des extraits de *Carmen* de Bizet. Le succès de cette soirée est mitigé en raison de problèmes acoustiques dus à une mauvaise répartition des micros et à la musique d'agrément diffusée par les haut-parleurs du parc Victoria voisin. Un deuxième concert a lieu un mois plus tard, le 17 juillet. Trois jeunes solistes y participent dont Gilles Breton, 12 ans, qui interprète le *Concerto «du Couronnement»* de Mozart. La marimbiste torontoise Muriel Killby est également de ce concert (elle fait sensation dans le flamboyant *Vol du bourdon* joué en rappel), ainsi que la mezzo-soprano Simone Flibotte de Montréal, gagnante du concours radiophonique Singing Stars of Tomorrow. Cette dernière vole littéralement la vedette à ses deux partenaires. Elle doit même bisser un de ses rappels, en l'occurrence la chanson *Let My Song Fill Your Heart* d'Ernest Charles. En après-midi, une matinée éducative avait été offerte en plein air!

«Concert sous les étoiles» au Stade municipal le 16 juin 1946 avec la contralto Herta Glaz du Metropolitan Opera de New York.

Plus tôt cet été-là, soit le 14 juillet, Québec avait accueilli le grand ténor Georges Thill qui avait chanté au Colisée avec un orchestre symphonique dirigé par Jean Vallerand. Officiellement, il ne s'agissait pas d'une production de l'OSQ, mais, dans les faits, l'ensemble était constitué d'un groupe de pigistes essentiellement recrutés dans ses rangs. Après avoir ouvert avec *La Marseillaise*, Thill interpréta certains des plus grands classiques du répertoire dont «J'ai perdu mon Eurydice», «Ah, lève-toi, soleil», l'«Air de la fleur», «Pourquoi me réveiller» et «Vesti la giubba», (les célèbres «Sanglots de Paillasse»). En rappel, il donna *Le Rêve passe* qui «souleva l'auditoire», comme le rapporte Gérard Fecteau dans *L'Action catholique*.

### Un élève de Grieg

Au cours des dernières saisons des années quarante, l'OSQ continue d'être l'hôte de grands artistes. La saison 1946-1947 s'ouvre le 3 novembre par un «Gala à l'opéra» dont les solistes sont la soprano Pierrette Alarie et le ténor Léopold Simoneau, mariés depuis quelques mois à peine. Le 23 mars 1947, l'orchestre reçoit sir Ernest MacMillan qui dirige notamment ses *Two Sketches*. L'Université Laval profite de l'occasion pour lui remettre, ainsi qu'au juge Tremblay, un doctorat honorifique.

Quant au dernier concert de la saison, le 27 avril, il met en vedette le pianiste Percy Grainger, invité à tenir la partie soliste du *Concerto en la mineur* de Grieg. En raison d'une grève des employés des chemins de fer, Grainger n'arrive que le samedi, une heure à peine avant le concert éducatif. Edwin Bélanger lui propose de retarder quelque peu le début de la matinée pour lui permettre de répéter avec l'orchestre, mais Grainger lui répond: «Inutile, j'ai travaillé ce concerto avec Grieg lui-même et je peux le jouer en commençant par la dernière note». Au grand concert du lendemain, après avoir interprété l'œuvre magistralement, Grainger doit donner cinq rappels.

Haut: le ténor Georges Thill (1897-1984) qui se fit entendre au Colisée sous la direction de Jean Vallerand le 14 juillet 1946. L'orchestre qui l'accompagnait était essentiellement constitué de pigistes recrutés parmi les musiciens de l'OSQ.

Bas: le pianiste et compositeur australien Percy Grainger (1882-1961), invité de l'OSQ le 27 avril 1947. Après une remarquable exécution du *Concerto pour piano* de Grieg, il offrit cinq rappels, dont *Pagodes* de Debussy, *Country Gardens*, une de ses compositions, et son propre arrangement de *Love Walked in* de Gershwin.

## Un concert qui fait des vagues

Le 29 février 1948, l'OSQ propose à ses habitués un concert exclusivement consacré à des compositeurs québécois. On peut y entendre des œuvres de Léo Roy, Joseph Vézina, Lucien Vocelle, Alexander Brott, Jean-Josaphat Gagnier et Clermont Pépin. La critique apprécie diversement les partitions qui lui sont offertes, mais s'entend sur l'intérêt de faire connaître la musique des compositeurs d'ici. Elle déplore toutefois le manque de préparation de l'orchestre: «Ces pièces sont sans doute belles mais l'interprétation qu'en a faite l'orchestre ne nous a pas permis d'en juger. [...] Tous les mélomanes en conviennent et hier soir nous entendions ce propos: "Si Alexander Brott avait entendu l'interprétation de sa berceuse et parade des jouets, il se serait certainement suicidé".» Ces propos cinglants de *L'Événement* tranchent radicalement de ceux du *Telegraph* qui rapporte que ce concert «a été l'un des plus appréciés de la saison».

Le 2 mars suivant, *L'Action catholique* publie une lettre d'un auditeur, Louis Turgeon, qui juge que la critique a été trop sévère à l'endroit de l'orchestre. Turgeon s'en prend plutôt aux «abstractions subtiles» du programme. Il conclut: «Si la Symphonie de Québec continue de servir de la musique trop "intellectuelle", elle ne devra pas compter sur les applaudissements d'un public nombreux et assidu.» Cette réaction apparaît assez représentative de celle de nombreux abonnés de l'époque et montre bien la pertinence de l'œuvre d'éducation poursuivie par Edwin Bélanger.

Léo ROY
Clermont PEPIN    Alexander BROTT
J.-J. GAGNIER    Lucien VOCELLE

Programme du concert du 29 février 1948,
consacré exclusivement à des compositeurs québécois.

### Fondation d'un comité féminin

Après des années fastes, l'orchestre est soudain aux prises avec de dures réalités. Au cours de la saison 1947-1948, le nombre d'abonnés chute dramatiquement, tendance qui empire l'année suivante. Et les dépenses ne cessent d'augmenter, passant de quelque 7 500 $ en 1942-1943 à près de 17 000 $ en 1947-1948. Au terme de la saison 1948-1949, qui a pourtant vu défiler le grand ténor Ramon Vinay, le chef Alexander Brott et le ténor Richard Verreau, le bureau de direction décide de réduire à cinq le nombre de concerts de série pour 1949-1950. D'autre part, on songe de plus en plus à embaucher des musiciens professionnels étrangers pour rehausser le niveau de l'orchestre qui laisse encore à désirer. Comme Gérard Fecteau de *L'Action catholique* l'avait déjà souligné avec humour, Edwin Bélanger peut exiger de ses musiciens qu'ils donnent «du 200 pour cent mais pas plus!» Faute de budget, ce projet ne pourra se réaliser avant les années cinquante.

Pour accroître les revenus de l'orchestre, l'administration substitue au comité de propagande un comité féminin solidement structuré dont le mandat est d'organiser diverses activités bénéfices. Le comité est placé sous la présidence de madame Léon Taschereau des Rivières, née Joséphine Choquette, qui s'acquittera de sa tâche avec brio. La création du comité est soulignée par un concert hors série présenté le dimanche 10 avril 1949 et dirigé par le violoniste Claude Létourneau, futur fondateur du Mouvement Vivaldi. La soliste invitée est la pianiste Jeanne Landry, prix d'Europe 1946, qui interprète les *Variations symphoniques* de Franck.

## RENAISSANCE SYMPHONIQUE (1942-1960)

En octobre 1949, le comité féminin organise une « semaine de la symphonie ». Le public peut assister gratuitement à une répétition générale donnée au sous-sol du Syndicat de Québec et entendre des musiciens dans différents magasins de la ville. Un an plus tard, on présente une « revue de haute mode » animée par la comédienne Nicole Germain à laquelle participe aussi l'orchestre. Au cours des années 1950, les dames mettront sur pied une série de réceptions mondaines, les « thés decrescendo », qui garniront considérablement les coffres de l'OSQ. Peu de temps après sa mise sur pied, le comité féminin encaisse des bénéfices se chiffrant en milliers de dollars.

### Deux saisons de transition

Conscient de l'intérêt que la présence de chefs invités peut susciter, Edwin Bélanger offre la direction de quelques concerts des saisons 1949-1950 et 1950-1951 à des chefs différents. Ettore Mazzoleni, directeur du Conservatoire royal de Toronto, Ethel Stark (première femme à diriger l'OSQ) et Wilfrid Pelletier montent tour à tour sur le podium en 1949-1950. L'année suivante, Wilfrid Pelletier et Edwin Bélanger se partagent les cinq concerts de la saison, Pelletier dirigeant les deux premiers et le dernier.

Bud Seveigny, pianiste amateur de Thetford Mines,
lors d'un concert dans cette ville. Edwin Bélanger dirige l'OSQ.

Ces deux saisons permettent aux mélomanes québécois d'entendre, entre autres, les pianistes Neil Chotem, Renée Morisset et Anatole Kitain, le clarinettiste Rafael Masella, la soprano Rose Bampton (épouse de Wilfrid Pelletier) et la violoncelliste Zara Nelsova. Au cours de cette période, l'orchestre se rend deux fois à Thetford Mines où un homme d'affaires, pianiste amateur, Bud Seveigny, interprète le *Concerto en la mineur* de Grieg (16 avril 1950) et le *Deuxième concerto* de Rachmaninov (29 avril 1951). Ces soirées suscitent l'euphorie des Thetfordois. Par ailleurs, le 11 mars 1951, l'OSQ donne un concert avec un ensemble choral, une première depuis la fusion. Il s'agit en l'occurrence des Chanteurs de la Colline que dirige Maurice Montgrain. Formé d'employés de la fonction publique, le chœur — toujours en activité aujourd'hui — est entendu dans la *Fantaisie pour chœur et piano* de Beethoven, avec la participation de la pianiste Jeannine Lachance, et dans l'oratorio *Gallia* de Gounod.

Le 6 mai 1951, Edwin Bélanger dirige son dernier concert à titre de directeur musical de l'OSQ. En raison de ses obligations militaires, notamment — il est chef de la musique du Royal 22e Régiment —, il lui est de plus en plus difficile d'assumer la lourde tâche qui lui incombe à la tête de l'orchestre. D'autre part, bien qu'on reconnaisse à Bélanger d'avoir su instaurer la «discipline qui règne de façon admirable à l'orchestre symphonique», un mouvement se dessine en faveur de l'engagement de Wilfrid Pelletier dont la notoriété internationale permet d'espérer un plus grand rayonnement pour l'orchestre.

## LE PRESTIGE DE WILFRID PELLETIER

En mai 1951, à la suite d'une motion présentée par le comité féminin, Wilfrid Pelletier devient le quatrième directeur musical de l'Orchestre symphonique de Québec. Sa vaste expérience au Metropolitan Opera et à l'Orchestre symphonique de Montréal, ses liens avec l'OSQ, son profond attachement pour la ville de Québec (son père y est né et sa mère vient de Saint-Antoine-de-Tilly) le désignent naturellement pour ce poste. La transition se fait en douceur, d'autant plus que les visées de Pelletier se situent dans la continuité de son prédécesseur, en particulier en ce qui a trait aux matinées pour les jeunes.

Avant d'envisager quelque projet artistique que ce soit, Pelletier s'emploie à faire le ménage dans les rangs des musiciens, plusieurs d'entre eux n'ayant pas le niveau requis pour jouer dans un orchestre symphonique digne de ce nom. Pour le nouveau chef, «l'ère des musiciens amateurs est disparue». Pelletier s'empresse donc de remplacer les éléments les plus faibles. Il caresse la grande ambition de faire travailler ses musiciens sur une base permanente et professionnelle: «Je veux que notre orchestre devienne le meilleur au Canada», affirme-t-il fièrement. La conjoncture lui est favorable, car, avec les premiers finissants des conservatoires, la pénurie d'instrumentistes à laquelle Edwin Bélanger s'était heurté dans les années quarante commence à se résorber. Des auditions permettent de recruter de nouveaux et talentueux musiciens. Pelletier doit tout de même faire appel à une vingtaine d'instrumentistes de Montréal pour compléter temporairement ses effectifs.

Wilfrid Pelletier (1896-1982), quatrième directeur musical de l'OSQ, en poste de 1951 à 1966.

### Princesse, musique et mode

C'est le comité féminin qui organise le concert historique par lequel Wilfrid Pelletier fera ses débuts officiels comme directeur musical de l'OSQ. Apprenant que la princesse Élisabeth et son époux, le duc d'Édimbourg, doivent effectuer une tournée au Canada en octobre 1951, madame des Rivières veut à tout prix accueillir le couple princier en grande pompe au concert inaugural de la cinquantième saison de l'orchestre. Ses démarches sont fructueuses. Le grand soir est fixé au mardi 9 octobre 1951. Au moment où la future reine fait son entrée dans la loge d'honneur du Capitol — il est déjà plus de 22 h 30 — un public enthousiaste lui réserve une vibrante ovation. La seconde partie de la soirée commence alors. Assorti d'un défilé de mode, le programme musical comporte une suite d'airs folkloriques arrangée par Pelletier et intitulée *Québec en fête* ainsi qu'une œuvre choisie pour la circonstance, *The Three Elizabeth* d'Eric Coates. Une demi-heure plus tard, tout est terminé, au grand étonnement d'Élisabeth qui confie à madame des Rivières qu'elle serait bien demeurée encore un peu… surtout en raison du défilé de mode. À lui seul, ce concert rapporte plus de 9 000 $ de profits nets.

### Professionnalisme et vitalité

Fort de sa vaste expérience, Wilfrid Pelletier donne une impulsion remarquable à l'OSQ. Au lendemain du premier concert de série, présenté le 28 octobre 1951 avec Raoul Jobin, la presse parle de la « métamorphose » de l'ensemble (*Le Soleil*). Tout au long de cette saison, les commentaires élogieux à l'égard du maestro se multiplient. Plusieurs œuvres données en première audition à Québec émaillent les programmes élaborés par Pelletier. Le public s'émerveille et s'étonne tout à la fois d'entendre la musique de Jacques Ibert, de Respighi, de Roussel, de Milhaud ou de Guillaume Lekeu, la *Symphonie fantastique* de Berlioz, des œuvres québécoises de Pépin, de Vallerand, de Morel, de Champagne, de Matton et de Mercure, dont Pelletier dirigera la *Cantate pour une joie* et la *Pantomime*.

Au Capitol le 9 octobre 1951. La future reine Élisabeth et le duc d'Édimbourg saluent diverses personnalités (Wilfrid Pelletier, Henry Morgan, Jean Bruchési) et quelques membres du comité féminin. La princesse est escortée par la présidente du comité, madame Léon T. des Rivières. En haut à gauche, tenant une écharpe, le lieutenant-gouverneur du Québec, Gaspard Fauteux, petit-fils d'Honoré Mercier.

Au cours de ses premières saisons, Pelletier assure la direction de tous les concerts, y compris les matinées, afin, selon toute vraisemblance, d'optimiser le rendement des musiciens et de polir la sonorité de l'orchestre. Pour l'aider dans cette tâche, il engage un assistant en la personne du jeune violoniste Calvin Sieb qui occupe cette fonction pendant deux ans. Professeur au conservatoire et futur violon solo de l'OSM, Sieb se produira aussi comme soliste à l'occasion.

Par un magnifique soir d'été, le 6 juillet 1952, Pelletier dirige un « Concert sous les étoiles » dans la cour du Séminaire de Québec avec la participation du ténor Pierre Boutet. Deux mois plus tard, l'orchestre se produit au Capitol dans le cadre des fêtes du centenaire de l'Université Laval. Le programme comprend l'*Ouverture pour une fête académique* de Brahms, le *Divertissement* de Jacques Ibert et la *Symphonie n° 3*, « *avec orgue* », de Saint-Saëns avec Jean-Marie Bussières à l'orgue. N'ayant pas servi depuis la disparition du cinéma muet, le vieil instrument a dû être « lavé, brossé et accordé » pour la circonstance. Au cours de la même soirée, on dévoile les gagnants d'un concours de composition organisé par l'université. Clermont Pépin obtient le premier prix pour son poème symphonique *Guernica*. Le deuxième prix n'est pas attribué. Les troisième et quatrième prix vont respectivement à Maurice Dela et François Morel. Une mention spéciale est accordée à une œuvre du pianiste Victor Bouchard.

Wilfrid Pelletier proclamant les vainqueurs du concours de composition de l'Université Laval le 19 septembre 1952 au Capitol. C'est Clermont Pépin qui en remporta les honneurs avec son poème symphonique *Guernica*. À gauche, Gilbert Darisse, violon solo de l'OSQ ; derrière lui, Raymond Dessaints, l'actuel chef de l'Ensemble Amati de Montréal.

Concert de clôture de l'année mariale au Colisée
le 8 décembre 1954 avec l'OSQ et le Chœur Roc-Amadour.
Sylvio Lacharité et Réal Joly, que l'on voit sur cette photo,
se partagent la direction musicale de cette soirée.

Henri Dorion exécutant le *Concerto pour piano*
de Khatchatourian au Palais Montcalm le 8 mai 1955.

Ce dernier et son épouse, Renée Morisset, sont les solistes du premier concert de série le 12 octobre suivant. Ils interprètent le *Concerto pour deux pianos* de Mozart. Le deuxième permettra de réentendre le 9 novembre la *Symphonie «avec orgue»* de Saint-Saëns, sur un instrument électronique cette fois, un Wurlitzer. Après le concert, Jean-Marie Bussières vante les mérites de l'instrument en ces termes: «Comme succédané de l'orgue à tuyau, l'orgue "Wurlitzer" est le meilleur que je connaisse»! Parmi les autres solistes de la saison, mentionnons les violonistes Francis Chaplin et Calvin Sieb, le pianiste Guy Bourassa, la soprano Rose Bampton et le ténor Frank Forest. Ces deux derniers se font entendre dans la 3e scène du 1er acte de *La Walkyrie* de Wagner. Le même soir a lieu la création du *Guernica* de Pépin.

## Les talents québécois

Pour des raisons budgétaires — toujours! —, la saison 1953-1954 doit à nouveau être ramenée à cinq concerts. Cette saison se signale par le fait que des chefs invités sont appelés à diriger l'orchestre, une première depuis la nomination de Pelletier. Les deux premiers, Sylvio Lacharité et Réal Joly, assurent la direction musicale du concert de clôture de l'année mariale, le 8 décembre, au Colisée. Un troisième chef invité, Jean Vallerand, se produit le 21 mars 1954 avec la pianiste Lubka Kolessa comme soliste. La saison prend fin le 2 mai par un concert dont la formule est composite. Il s'ouvre par la présentation de trois œuvres québécoises, soit le *Prélude* de Jean Vallerand, *Antiphonie* de François Morel et le *Concerto pour piano* de Claude Champagne, brillamment interprété par Léon Bernier. Toute la seconde partie est réservée au répertoire lyrique, que Pelletier affectionne tout spécialement. Les solistes, la soprano Simone Rainville, la mezzo-soprano Patricia Poitras, le ténor Pierre Boutet et le baryton Gilles Lamontagne, interprètent divers ensembles tirés de *Fidelio*, de *Madama Butterfly*, des *Pêcheurs de perles*, des *Contes d'Hoffmann*, du *Barbier de Séville* et de *Rigoletto*.

Trois décès assombrissent malheureusement l'année 1954. Le 23 février, le compositeur et violoniste Lucien Vocelle est emporté à 43 ans par le diabète. Le 24 août suivant, on apprend la mort à l'âge de 60 ans de Robert Talbot. Puis, le 3 octobre, 52 ans jour pour jour après avoir participé à la fondation de l'orchestre, Raoul Vézina disparaît à son tour. Des notices leur sont consacrées dans les programmes de concerts.

Quelques jours après la mort de Raoul Vézina, l'OSQ inaugure sa saison 1954-1955. L'orchestre reçoit pour l'occasion le ténor Richard Verreau en qui Pelletier voit « un de nos meilleurs chanteurs canadiens ». Plus tard au cours de la saison, le public est invité à entendre le baryton Jean Coulombe. Ce dernier participe à un concert « donné en hommage aux organisateurs du Carnaval d'hiver » auquel assiste la toute première reine de l'événement, Estelle Iʳᵉ (Estelle Côté). La saison prend fin le 8 mai 1955 avec l'audition, entre autres, du *Concerto pour piano* de Khatchatourian joué par le jeune Henri Dorion, aujourd'hui géographe réputé, dont le jeu est qualifié par la critique de « fougueux et raffiné ».

## Pelletier et l'opéra

En 1955-1956, l'OSQ fait paraître pour la première fois de son histoire une brochure annonçant les œuvres prévues au cours de l'année. On y apprend que le violoniste Henryk Szering interprétera le *Concerto en ré* de Beethoven le 16 octobre et que, le 22 janvier suivant, l'on donnera *La Traviata* de Verdi en version de concert. Cette production constituera une grande réussite, à tel point que l'initiative de monter un opéra en concert sera répétée au cours des trois saisons suivantes. Les Québécois pourront entendre *Faust* le 14 octobre 1956, *La Bohème* le 24 novembre 1957 et *Madama Butterfly* le 12 octobre 1958. L'abondance d'excellents chanteurs québécois, le goût prononcé du public pour ce type d'ouvrages et l'expérience de Wilfrid Pelletier dans ce domaine poussent la direction de l'orchestre à se lancer dans cette aventure qui s'avère des plus réussies.

Quelques gagnants des prix des matinées symphoniques en 1955. Outre Wilfrid Pelletier, on reconnaît sur cette photo la journaliste Maritchu Dabadie (la petite fille au centre de la première rangée), alors âgée de cinq ans.

La soprano Sylvia Stahlman, Wilfrid Pelletier et Richard Verreau
lors de la présentation de *La Traviata* en version de concert
le 22 janvier 1956. Les artistes sont félicités par le secrétaire
provincial, Omer Côté, et le ministre Antoine Rivard.

Wilfrid Pelletier et la violoniste Marilyn Dubow
lors de son concert à l'OSQ le 22 février 1959.
Madame Dubow est aujourd'hui membre du New York Philharmonic.

La distribution de *La Traviata* comprend notamment le ténor Richard Verreau, la soprano américaine Sylvia Stahlman, le baryton Napoléon Bisson, le ténor Claude Gosselin et la mezzo-soprano Denyse Parent. Pour assurer la partie chorale, l'orchestre fait appel au Chœur Roc-Amadour, dirigé par Réal Joly. Stahlman et Verreau sont encensés par la critique ainsi que le chœur et son chef. Dans *L'Action catholique*, Françoise LaRochelle-Roy relève cependant certains contresens pouvant résulter d'une présentation d'opéra sans mise en scène: «Ainsi avons-nous nettement perçu l'inquiétude et l'étonnement de quelques auditeurs alors que Violetta toussait pour la première fois au Ier acte»!

La saison qui suit voit le retour de l'OSQ sur les ondes de la radio, 20 ans après l'aventure de *L'Heure provinciale*. À la suite de démarches entreprises par l'infatigable madame des Rivières, deux des concerts de la saison sont enregistrés par Radio-Canada et diffusés ultérieurement.

### Privilégier la jeunesse

Tout comme Edwin Bélanger, Wilfrid Pelletier se montre particulièrement sensible à la question de la relève. En plus de donner le meilleur de lui-même aux concerts éducatifs, il saisit toutes les occasions de révéler de jeunes talents au public. En novembre 1956, il invite un pianiste coréen de 14 ans, Tong Il Han, à jouer le *Premier concerto* de Tchaïkovski. Marcel Turgeon du *Soleil* le qualifie de «génial», ajoutant que «jamais un pianiste ne fut chez nous applaudi avec plus de frénésie». Malgré l'insistance du public, le jeune pianiste refuse de donner le moindre rappel. Plus tard, l'orchestre accueillera une violoniste américaine de 16 ans, Marilyn Dubow, qui se fera entendre dans le *Concerto en ré* de Tchaïkovski, ainsi que le pianiste Richard Gresko, également âgé de 16 ans, qui se produira pour sa part dans le *Premier concerto* de Tchaïkovski.

Pour varier la formule des matinées, Pelletier invite les Marionnettes de Montréal à quelques occasions. Au cours de la saison 1956-1957, on peut les voir dans le conte musical *Pierre et le loup* de Prokofiev et de nouveau en 1959 dans le petit opéra *Bastien et Bastienne*, composé par Mozart à l'âge de 12 ans. On fait appel à trois enfants pour chanter les différents rôles : Luc Lechno, 12 ans, Gaétane Burdon, 14 ans, et Anthony Shortino, 12 ans. Ces derniers sont ravis de l'expérience, mais se disent déçus de ne pas avoir tenu eux-mêmes les rôles sur scène à la place des marionnettes...

## Mais que dira Duplessis ?

L'année 1957 voit la création du Conseil des Arts du Canada qui, dès sa première année, accorde une subvention de 15 000 $ à l'OSQ. L'annonce de cet octroi provoque quelques remous au sein de l'administration. Le président, René Blanchet, craint en effet d'encourir les foudres du premier ministre Duplessis s'il accepte l'argent d'un organisme fédéral. Le président se demande, par ailleurs, si le public ne se montrera pas moins généreux sachant qu'une partie de ses impôts sert à subventionner l'orchestre. Pour éviter de se retrouver dans l'eau bouillante, René Blanchet délègue le vice-président, le docteur Charles Laflamme, à la conférence de presse où l'orchestre fait l'annonce de cette subvention.

La soprano Marie-Anne Schneider, la Mimi de *La Bohème* présentée en version de concert le 24 novembre 1957. Les autres chanteurs principaux de cette production étaient Richard Verreau (Rodolfo), Yolande Dulude (Musetta) et Gilles Lamontagne (Marcello).

Cette étrange prudence pique au vif les dames du comité féminin. Il y a assez longtemps qu'elles s'épuisent en activités bénéfices de toutes sortes et que, par leur dévouement, elles tiennent les finances de l'orchestre à bout de bras! Cet octroi leur apparaît comme une juste récompense de leurs efforts. Elles font donc parvenir une lettre recommandée au président Blanchet le sommant d'accepter la subvention du Conseil des Arts, peu importe ce qu'en pensera Duplessis. Et puisque l'administration de l'orchestre craint à ce point le premier ministre, elles offrent sans hésitation de le rencontrer personnellement afin de discuter de l'affaire avec lui! Mais les dames n'auront pas à se déplacer. L'orchestre encaisse finalement le chèque, sans soulever la moindre réaction du «cheuf». Cet épisode insolite trouve un écho jusque dans le magazine *Time* qui en rapporte tous les détails dans un article intitulé «What Will Duplessis Think?» dans son édition du 18 novembre 1957.

Pour satisfaire aux exigences du Conseil des Arts pour la saison 1958-1959, l'orchestre doit donner un certain nombre de concerts à l'extérieur de la ville de Québec. L'OSQ, dont la dernière sortie remonte à 1951, se rend tout d'abord à… Lévis le 17 janvier 1959, puis à Chicoutimi le 27 avril suivant. Une matinée offerte avant ce concert attire tellement d'enfants que l'on doit en refuser près de 500. Ces sorties vont bientôt devenir un volet majeur des activités de l'orchestre.

## L'année des grands changements

Au printemps de 1959, d'importants changements se profilent à l'horizon. S'appuyant sur la bonne santé financière de l'orchestre, Pelletier soumet au conseil d'administration l'idée d'embaucher sur une base régulière un assistant qui ferait répéter les musiciens et qui serait en outre chargé de l'élaboration des programmes. Il propose la candidature d'un jeune réalisateur de Radio-Canada dont il a remarqué le talent et l'entregent, Françoys Bernier. Sitôt en poste, Bernier travaille d'arrache-pied à préparer la saison 1959-1960 au cours de laquelle l'orchestre recevra cinq des artistes les plus acclamés de l'heure. Le nombre de concerts passe à nouveau de cinq à six. Le Palais Montcalm est abandonné au profit du Capitol.

Quatre des concerts de série sont dirigés par Pelletier, un par Bernier et un autre par Jean Beaudet. La saison s'ouvre le 12 octobre 1959. Le pianiste Jorge Bolet y interprète le *Concerto en la mineur* de Schumann. Françoys Bernier dirige le concert suivant le 16 novembre. On y présente l'oratorio *La Création* de Haydn avec la soprano Renée Maheux, le ténor André Turp, la basse Gaston Gagnon et la Chorale de l'Université Laval. Le violoncelliste Pierre Fournier est l'invité du troisième concert, le 7 décembre. Ce dernier fait sensation dans le *Concerto en si mineur* de Dvořák. Le 1er février 1960, le baryton Leonard Warren se fait entendre dans des extraits de *Falstaff*, *Faust*, *Otello* et *I Pagliacci*. Ce concert est un triomphe, l'un des derniers du grand chanteur qui devait mourir un mois plus tard, en pleine représentation de *La forza del destino* au Metropolitan Opera.

Françoys Bernier en répétition.

Sous la direction de Jean Beaudet, Christian Ferras interprète le *Concerto pour violon* de Brahms le 14 mars suivant, tandis que le 25 avril, dernier concert de la saison, Eugene Istomin se produit dans le *Second concerto* pour piano de Chopin. L'orchestre semble plus ou moins rodé lors de ce concert. Le lendemain, Yvan Couture rapporte dans *Le Soleil* que le pianiste n'a pu faire suivre les musiciens qu'au prix de «vigoureux coups de pied qu'il assénait à l'occasion sur la scène du Capitol».

### Enfin, la permanence

La situation décrite par Couture apparaît symptomatique du problème crucial de l'OSQ : son statut d'ensemble amateur. Les critiques ne manquent d'ailleurs pas de le lui rappeler. Au lendemain de l'exécution de *La Création* de Haydn, Lucien Quinty écrit dans *Le Soleil* : «En marge du concert d'hier soir et en vue des prochains, il vient à l'idée de se demander si on peut vraiment s'attendre à ce que l'orchestre local mérite un jour la mention "excellent", quand ses membres ont tout juste le loisir, après les heures de travail, de pratiquer [sic] quelques minutes ou bien de déballer prestement leur instrument avant un concert ?» La direction de l'orchestre est sensible à ces arguments ; la permanence s'impose désormais comme une absolue nécessité. En 1957, Pelletier avait affirmé : «Québec est la capitale de la province et devrait posséder le meilleur orchestre, meilleur encore que celui de Montréal». L'orchestre a atteint un point de non-retour : il faut choisir entre la permanence ou la disparition pure et simple.

## RENAISSANCE SYMPHONIQUE (1942-1960)

Armé d'un solide plan de réorganisation élaboré par Françoys Bernier, l'administration se met en quête des appuis nécessaires. En mars 1960, le gouvernement Barrette annonce qu'il accorde une subvention de 30 000 $ pour la saison 1960-1961. À la fin d'août, le père Georges-Henri Lévesque informe l'orchestre que le Conseil des Arts, dont il est vice-président, fait passer sa subvention à 25 000 $ afin de soutenir d'importants projets de tournées en région. La Ville de Québec, après s'être fait tirer l'oreille, octroie 5 000 $. L'entreprise privée se montre plus généreuse : la brasserie Dow souscrit à elle seule pas moins de 10 000 $.

Des postes sont ouverts afin de compléter les effectifs. Plusieurs musiciens étrangers sont alors embauchés, dont le nouveau violon solo, Stuart Fastofsky, un Américain de 33 ans originaire de Long Island. Les trois principaux artisans de cette réorganisation, le président Pierre Côté, Wilfrid Pelletier et surtout Françoys Bernier ont fort bien travaillé. Une ère nouvelle commence pour la musique à Québec.

Le grand violoncelliste Pierre Fournier,
soliste du concert du 7 décembre 1959
et qui se produira à quelques reprises avec l'OSQ par la suite.

# GLANURES MUSICALES...

- 1944 : ouverture du Conservatoire de musique de Québec.

- 1944 : (29 octobre) récital de Yehudi Menuhin au Palais Montcalm.

- 1944 : (2 décembre) Lorin Maazel, alors âgé de 14 ans, dirige un ensemble symphonique appelé Orchestre philharmonique de Montréal au Palais Montcalm. La soliste de ce concert est une jeune pianiste, également âgée de 14 ans, Sondra Bianca. Les pièces de résistance de ce programme, que Maazel dirige de mémoire, sont la *Cinquième symphonie* de Tchaïkovski et le *Concerto pour piano n° 20* de Mozart.

- 1945 : (8 septembre) la Compagnie France Film présente *Carmen* au Colisée devant 5 000 spectateurs. Les solistes sont Raoul Jobin, Bruna Castagna, Martial Singher et Thérèse Jobin. Wilfrid Pelletier dirige l'orchestre.

- 1946 : (31 janvier) récital du violoniste Jascha Heifetz au Capitol.

- 1947 : (24 avril) le grand ténor Tito Schipa se produit au Palais Montcalm.

- 1947 : (18 octobre) récital de Georges Thill au Palais Montcalm.

- 1947 : (18 novembre) récital de la violoniste Ginette Neveu (Club musical).

- 1948 : (8 novembre) le ténor Lauritz Melchior se produit au Colisée.

- 1948 : (23 novembre) Pierre Bernac et Francis Poulenc se produisent au Château Frontenac (Club musical).

- 1948 : naissance de l'Opéra national du Québec qui se produit à Montréal et Québec. Plusieurs compagnies seront mises sur pied à Québec ou au Québec dans les années qui suivent : l'Opéra français enr. (1949), le Théâtre lyrique de Nouvelle-France (1961), la Société lyrique d'Aubigny (1968), l'Opéra du Québec (1971). C'est en 1985 que sera fondé l'Opéra de Québec, dont l'OSQ sera l'un des principaux partenaires.

- 1949 : (28 février) récital de la soprano Erna Sack au Palais Montcalm.

- 1951 : (31 janvier) récital de Jussi Bjoerling et de son épouse, la soprano Anna-Lisa Berg, au Palais Montcalm.

- 1951 : (21 novembre) Giuseppe di Stefano en récital au Capitol.

- 1952 : (9 juin) récital du pianiste Walter Gieseking au Capitol.

- 1952 : (25 juin) le ténor Beniamino Gigli donne un concert au Capitol.

- 1952 : (2 novembre) les Marionnettes de Salzbourg donnent La Flûte enchantée au Palais Montcalm.

- 1954 : (8 février) concert au Capitol de la légendaire Yma Sumac, descendante présumée du souverain inca Atahualpa.

- 1954 : (2 décembre) l'Orchestre philharmonique de Buffalo, sous la direction de Josef Krips, se produit au Capitol.

- 1957 : (11 février) récital de Glenn Gould au Palais Montcalm (Club musical).

- 1957 : (21 février ) le ténor Nicolai Gedda se produit au Club musical.

- 1960 : (12 février) le Club musical accueille le violoncelliste Janós Starker.

CHAPITRE IV

# UNE AUTRE RÉVOLUTION TRANQUILLE (1960-1975)
## LE TANDEM VISIONNAIRE PELLETIER-BERNIER

En devenant orchestre professionnel permanent, l'OSQ tourne une page de son histoire. Par un singulier hasard, ce tournant coïncide avec l'arrivée au pouvoir de l'«équipe du tonnerre» de Jean Lesage qui, de son côté, s'apprête à transformer radicalement les structures de l'État québécois. Ce n'est donc pas une, mais deux révolutions tranquilles qui s'amorcent simultanément dans la capitale.

### Un orchestre pour le Québec

Depuis l'embauche de Françoys Bernier comme assistant, l'orchestre bénéficie d'une direction bicéphale aussi dynamique qu'harmonieuse. Dans une rare communauté de vues, Pelletier et Bernier conçoivent d'ambitieux projets auxquels ils s'attaquent dès la première saison, dont le nombre d'activités sera sextuplé par rapport à l'année précédente. En plus des six concerts de la série principale, une nouvelle série est mise sur pied en collaboration avec l'Association générale des étudiants de l'Université Laval (AGEL) qui présente six soirées musicales à prix réduits. Par ailleurs, les matinées symphoniques se voient dédoublées pour rejoindre désormais les écoliers anglophones. En plus des matinées françaises, des matinées unilingues anglaises seront offertes jusqu'en 1966.

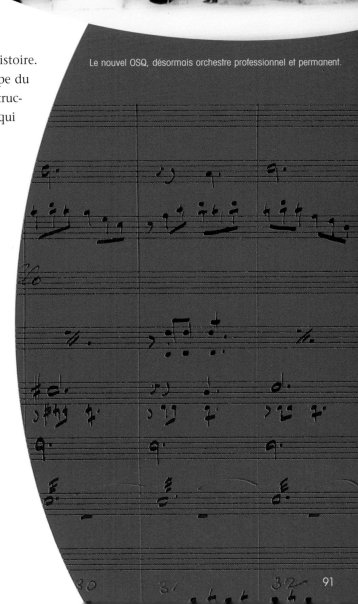

Le nouvel OSQ, désormais orchestre professionnel et permanent.

91

Enfin, innovation marquante, l'orchestre se fait missionnaire et va porter la musique symphonique partout en région. L'OSQ n'est plus seulement l'orchestre de Québec, mais devient véritablement celui *du* Québec. Des séries complètes, et parfois même des matinées, sont offertes dans plusieurs villes de la province dont certaines peuvent compter sur des comités bien structurés qui voient au bon fonctionnement des activités. À l'assemblée générale de 1961, Pelletier dira des concerts en région : «Voici une aventure unique dans l'histoire de la musique en notre province et peut-être même au Canada tout entier. L'Orchestre de Québec est maintenant devenu un des plus beaux instruments de culture du Canada.» Grâce à l'OSQ, les régions ont désormais l'impression «de ne plus être de province, mais d'être de la province», selon le mot du notaire Jean-Marc Roberge, membre du comité de Thetford Mines. Cette belle aventure durera jusqu'à la crise pétrolière de 1973 qui, en raison de l'augmentation vertigineuse des coûts de transport, lui coupera les ailes. L'orchestre ne voyagera plus que de façon sporadique.

### Un rythme d'enfer

Parmi les artistes invités de la série principale de la saison 1960-1961, on trouve les noms du ténor Richard Verreau et des pianistes Samson François et Philippe Entremont. Deux chefs invités dirigent l'orchestre, soit le Québécois Jacques Beaudry et le Français Jean Morel. Le dépliant de la série principale fait aussi mention de la tenue d'un prestigieux festival Beethoven avec le concours du grand pianiste Wilhelm Kempff. Quant à la série des «concerts universitaires», elle permettra d'entendre les duettistes Bouchard et Morisset, la pianiste française Monique Haas, le nouveau violon solo de l'OSQ, Stuart Fastofsky, et la harpiste Lise Nadeau. Trois chefs invités monteront au podium : Roland Leduc, Alexander Brott et Jean Beaudet.

En route pour une matinée symphonique…

## UNE AUTRE RÉVOLUTION TRANQUILLE (1960-1975)

La série principale, présentée au Capitol, s'ouvre le 24 octobre 1960 avec Richard Verreau comme soliste invité. Ce dernier interprète des airs de Gluck, Méhul, Donizetti, Puccini et Cilea. L'orchestre exécute pour sa part l'ouverture de *La Flûte enchantée* de Mozart, la *Septième symphonie* de Dvořák et le *Capriccio espagnol* de Rimski-Korsakov. Cette soirée très attendue fait salle comble. Richard Verreau, bien qu'enrhumé (il doit se moucher entre chaque pièce), enchante l'auditoire et donne plusieurs rappels. Quant à l'orchestre, il tire fort bien son épingle du jeu. Dans sa critique, Lucien Quinty du *Soleil* doit admettre que le nouvel OSQ « commence sur un bon pied ».

Un autre événement digne de mention a lieu le 14 novembre, alors que l'orchestre crée sa première commande officielle en près de 60 ans d'existence, le *Mouvement symphonique nº 1* de Roger Matton. D'un modernisme accessible, l'œuvre est bien accueillie. Au même concert, que dirige Françoys Bernier, le grand pianiste Samson François donne une interprétation magistrale du *Premier concerto* de Liszt.

### Télévision, Beethoven et Carnaval

Le 22 décembre 1960, l'OSQ fait ses débuts à la télévision. L'orchestre est alors invité à se produire lors de l'émission *L'Heure du concert* diffusée sur les ondes de Radio-Canada. Placé sous le thème de la fête de Noël, ce concert avec chœur donne à entendre la *Messe Salve Regina* de Jean Langlais et la *Cantate de Noël* d'Arthur Honegger. Cette première apparition à la télévision sera suivie de plusieurs autres.

Trois semaines plus tard, le festival Beethoven marquera le sommet de cette première saison de l'OSQ restructuré. Le soliste invité est le grand pianiste allemand Wilhelm Kempff, qui doit se produire dans l'intégrale des concertos pour piano de Beethoven. Les lundi 16 et mercredi 18 janvier, il n'y a plus une place disponible au Palais Montcalm. Bien préparé par Wilfrid Pelletier, l'orchestre fait merveille. Kempff s'en dit enchanté et affirme n'avoir jamais eu autant de plaisir à travailler avec un chef d'orchestre, «même à Berlin». Au lendemain du premier soir, Eric McLean, critique au *Montreal Star*, affirme: «Je savais que l'Orchestre symphonique de Québec avait dépassé depuis un certain temps déjà le stade du noviciat mais rien ne m'avait préparé à entendre ces musiciens soutenir le rôle orchestral des concertos avec autant d'ardeur et avec un si haut niveau de compétence».

Dans un même souci d'éclectisme — mais dans un tout autre registre artistique — un grand concert populaire réunit le 28 janvier 1961 quelque 3 500 auditeurs au Colisée. Offert à l'occasion du Carnaval, ce concert à 1 $ est dirigé par José Iturbi, qui s'y produit aussi comme pianiste. Le programme comprend notamment des œuvres de Beethoven et Liszt, la *Rhapsody in Blue* de Gershwin et une suite du *Tricorne* de Manuel de Falla. On y crée également une œuvre de Michel Perrault, *Prélude à un Carnaval*. À l'issue du concert, le bonhomme Carnaval en personne monte sur scène et vient décorer Iturbi de l'Ordre de la Ceinture fléchée!

Françoys Bernier, le pianiste Wilhelm Kempff
et le critique musical du *Devoir*, Gilles Potvin,
en janvier 1961.

## UNE AUTRE RÉVOLUTION TRANQUILLE (1960-1975)

### La vitesse de croisière

Pour la saison 1961-1962, la série principale est de retour au Palais Montcalm, fraîchement rénové. Toujours en charge de l'élaboration des programmes et de l'engagement des artistes, Françoys Bernier obtient les services de la soprano Lois Marshall,
des pianistes Anton Kuerti et Alexandre Brailowsky ainsi que des violoncellistes
André Navarra et Maurice Gendron. Il invite des chefs tels que Victor Feldbrill,
Charles Houdret, Jean-Yves Landry et surtout Pierre Monteux, l'illustre créateur du
*Sacre du printemps* de Stravinski. Âgé de près de 87 ans, Monteux dirige le 12 février
1962 la première exécution à l'OSQ du *Don Juan* de Richard Strauss.
Le vieux maître se dit « étonné de la qualité artistique de l'Orchestre » avec lequel
il prend le chemin de Trois-Rivières le lendemain. Quelques jours plus tard,
l'OSQ franchit la frontière américaine pour la première fois de son existence.
Le 1er mars 1962, il ouvre le March Arts Festival de l'Université du Maine
à Orono. On y joue le *Mouvement symphonique no 1* de Matton qui reçoit
un accueil chaleureux. Le journaliste Dee Fearon du *Bangor Daily News* se
montre aussi enthousiaste pour la formation québécoise que pour la partition
de Matton.

La série principale de 1962-1963 s'ouvre le 22 octobre. Ce concert marque le retour
de Wilhelm Kempff qui interprète, à cette occasion, le *Concerto en fa mineur* de Bach
et le *Concerto no 9, « Jeunehomme »*, de Mozart. La même année, l'OSQ reçoit également Henryk Szeryng dans le *Concerto pour violon* de Sibelius, Gary Graffman dans
le *Deuxième concerto* de Rachmaninov et Leonard Rose qui interprète le *Concerto pour
violoncelle* de Dvořák. Cette même saison verra aussi la mise sur pied d'une série pour
les écoles secondaires présentée les jeudis après-midi et consistant en six concerts d'une
durée d'environ une heure et demie. Ces « concerts du jeudi » se substitueront plus tard
aux concerts universitaires et seront présentés en début de soirée.

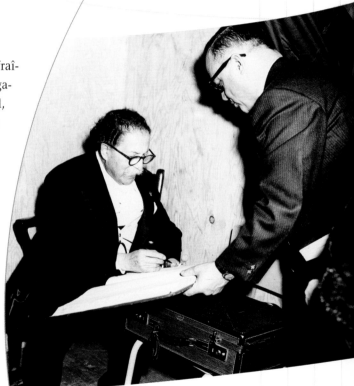

Le légendaire Pierre Monteux signe le Livre d'or de la cité de Trois-Rivières
que lui présente le maire Joseph-Alfred Mongrain dans un recoin du
Capitol, l'actuelle Salle J.-Antonio Thompson. Lors de ses concerts avec
l'OSQ, Monteux dirigea notamment la *Deuxième symphonie* de Beethoven
et la première audition à l'OSQ du *Don Juan* de Richard Strauss.

### Les neuf symphonies

L'événement marquant de la saison 1962-1963, année du 60$^e$ anniversaire de l'OSQ, est sans conteste la présentation de l'intégrale des symphonies de Beethoven, donnée en quatre soirs. Vladimir Golschmann, chef de réputation mondiale, créateur d'œuvres d'Honegger, d'Ibert, de Milhaud et autres, est invité à la diriger. L'événement se tient en janvier 1963 devant des salles bondées et euphoriques. Le festival se termine le 24 janvier par l'audition de la *Neuvième symphonie*, à laquelle participent quelque 180 choristes de la Fédération des chorales du Québec ainsi que les solistes Micheline Tessier, Réjane Cardinal, Pierre Boutet et Gaston Germain. Golschmann est ravi de l'expérience et déclare: «Je veux rendre hommage à mes collègues MM. Pelletier et Bernier dont le talent et la volonté ont fait de l'orchestre ce qu'il est aujourd'hui: un groupement musical dont votre belle ville a le droit d'être fière et qui fera beaucoup pour ajouter à sa gloire».

En mars 1963, le violon solo Stuart Fastofsky démissionne de son poste. Après un bref intérim assuré par Jean-Louis Rousseau, l'orchestre trouve en la personne du Japonais Hidetaro Suzuki l'un de ses meilleurs éléments. Non seulement Suzuki s'acquittera-t-il magnifiquement de sa tâche, mais il sera aussi appelé à se produire en de multiples occasions comme soliste et, à partir de 1968, comme chef d'orchestre, défi qu'il relèvera avec brio. Quant à Fastofsky, il est emporté par une tumeur au cerveau peu après son départ.

À l'automne de 1963, l'OSQ s'associe avec le Théâtre lyrique de Nouvelle-France, compagnie d'opéra locale. Fondée en 1960, la jeune troupe compte déjà plusieurs belles réussites et souhaite obtenir le concours de l'orchestre pour sa prochaine production, *Werther* de Massenet, qui doit être présentée au Palais Montcalm du 15 au 20 octobre 1963. Depuis ce jour, l'OSQ accompagne la grande majorité des productions d'opéra professionnelles dans la capitale.

Le chef Vladimir Golschmann (1893-1972)
qui dirigea l'intégrale des symphonies de Beethoven en janvier 1963.

## UNE AUTRE RÉVOLUTION TRANQUILLE (1960-1975)

### Des œuvres du XXᵉ siècle…

Sitôt les représentations de *Werther* passées, s'ouvre la série principale qui compte maintenant huit concerts. Au cours du troisième, le 18 novembre 1963, l'orchestre donne en première audition mondiale une œuvre du Québécois Serge Garant, *Ouranos*. Malgré la réticence de certains instrumentistes, dont le violoncelle solo Arpad Szomoru, qui refuse carrément de jouer l'œuvre, Garant se dit satisfait de l'exécution : « Françoys Bernier a très bien dirigé et les musiciens ont très bien joué ». Parlant des spectateurs, Garant estime avoir gagné la partie : « Au début, ça a ricané un peu, mais ça, je m'en fiche : c'est normal. Ensuite, quand ils ont eu compris, ça a marché. » Les commentaires de Lucien Quinty dans *Le Soleil* ne vont pas vraiment dans le même sens : « De la musique d'avant-garde ! De la musique ? Non, honnêtement, je ne peux écrire cela. Je n'ai pas entendu de la musique mais une continuelle recherche de laboratoire pour découvrir des sonorités nouvelles, des effets sonores impressionnants ». Françoys Bernier et la direction de l'orchestre reçoivent des lettres vitrioliques d'auditeurs profondément choqués par cette œuvre.

Trois semaines après la première d'*Ouranos*, Bernier va connaître l'un de ses grands triomphes personnels. Le 9 décembre 1963, il dirige la première exécution canadienne de *Carmina Burana* de Carl Orff devant un public en délire. L'œuvre est montée avec le concours de la Chorale de l'Université Laval, de la soprano Doris Yarick, du ténor David Lloyd et de la basse John Boyden. Lucien Quinty parle de ce concert comme de l'une « des plus grandes réalisations artistiques de la saison ».

Hidetaro Suzuki et Arpad Szomoru, respectivement violon et violoncelle solos de l'OSQ au milieu des années soixante.

David Oïstrakh, soliste avec son fils Igor,
du premier « Grand Soir de l'Orchestre »
le 17 janvier 1964.
La dédicace, en russe, dit :
« À mon cher Françoys Bernier,
en souvenir. Avec mes hommages,
de David Oïstrakh. Québec, 17-1-64 »
(traduction : Henri Dorion).

Victor Bouchard, son épouse Renée Morisset et Pierre Dervaux,
les créateurs du *Concerto pour deux pianos* de Roger Matton,
en novembre 1964.

### Le « Grand Soir de l'Orchestre »

Depuis quelque temps déjà, Bernier veut gagner le monde des affaires à la cause de l'orchestre. Pour ce faire, le jeune directeur général propose d'organiser une prestigieuse soirée de gala qui comporterait d'abord un programme symphonique avec soliste de très haut rang, suivi d'un dîner et d'un bal au Château Frontenac. On tente un premier essai le vendredi 17 janvier 1964. Pour ce premier « Grand Soir de l'Orchestre », Bernier réussit à obtenir la participation des violonistes David et Igor Oïstrakh qui interprètent respectivement les concertos de Brahms et Tchaïkovski. En fin de programme, père et fils jouent ensemble le *Concerto pour deux violons en ré mineur* de Bach. Les billets s'envolent en quelques semaines. Dirigée par Wilfrid Pelletier, la soirée est un pur enchantement. Dans La Presse, Jean Vallerand est dithyrambique. Après s'être extasié sur le jeu des deux Oïstrakh, il écrit : « Quant à l'orchestre, il est étonnant. Grâce au renouvellement de ses cadres, à la clairvoyance de sa direction artistique, cet orchestre s'est complètement transformé depuis quelques années. Il a une personnalité, un style, une ardeur qui en font un orchestre passionnant à écouter. » L'engouement suscité par ce premier « Grand Soir » incitera la direction à en répéter la formule au cours des années suivantes, d'autant plus qu'elle s'avère financièrement rentable dès la première édition.

Reprenant ses activités normales, l'OSQ poursuit sa série principale trois semaines plus tard avec le jeune violoniste Salvatore Accardo qui, dans le *Premier concerto* de Paganini, électrise à son tour l'auditoire du Palais Montcalm. Le 24 février, la soprano Régine Crespin interprète brillamment des extraits d'œuvres de Wagner. À la suite de cet autre succès, Lucien Quinty ne peut contenir son admiration : « Décidément, nous ne sommes pas près d'oublier la saison 1963-1964 de l'Orchestre symphonique de Québec ».

## UNE AUTRE RÉVOLUTION TRANQUILLE (1960-1975)

### Des années fertiles

Le ténor Cesare Valletti, le pianiste Géza Anda, le violoniste Leonid Kogan et, de nouveau, Régine Crespin figurent parmi les solistes invités de la saison suivante. Le 30 novembre 1964, un chef invité fait des débuts remarqués : Pierre Dervaux, qui dirige pour l'occasion la création mondiale du *Concerto pour deux pianos* de Roger Matton, joué par les dédicataires, les duettistes Bouchard et Morisset. L'assistance est conquise et, répondant à ses applaudissements chaleureux, les artistes reprennent le finale en guise de rappel. Les efforts de Françoys Bernier pour imposer la musique nouvelle commencent à porter fruit.

À peine remis de ses émotions, le public se voit convié à un autre concert-événement. Il s'agit de la première apparition publique de la nouvelle formation chorale rattachée à l'orchestre, le Chœur symphonique, dont les journaux avaient annoncé la création à la mi-septembre. Pour l'occasion, on choisit de donner l'oratorio par excellence, le *Messie* de Haendel, dont Wilfrid Pelletier dirige la première intégrale à l'OSQ à la basilique de Québec le vendredi 18 décembre 1964, avec les solistes Pierrette Alarie, Réjane Cardinal, Jean-Louis Pellerin et Gaston Germain. Dès le lendemain, chœur, solistes et orchestre reprennent l'œuvre à la cathédrale de Rimouski.

Début janvier 1965, l'orchestre ajoute un nouveau fleuron à sa liste de réalisations prestigieuses avec la seconde édition du « Grand Soir », dirigée cette fois par Françoys Bernier. L'orchestre a retenu les services du pianiste Emil Gilels qui triomphe dans le *Premier concerto* de Tchaïkovski. La formule fonctionne décidément fort bien et la caisse se remplit.

Wilfrid Pelletier dirige le *Messie* de Haendel avec le Chœur symphonique et les solistes Marie Daveluy, Fernande Chiocchio, Léopold Simoneau et Claude Corbeil à la basilique de Québec, le mercredi 15 décembre 1965.

Sergiu Celibidache (à droite) à sa descente d'avion à Dorval en avril 1966. Il est accompagné de son épouse Ioana et de Françoys Bernier. La photo porte la dédicace suivante : « À mon cher François Bernier, toute mon admiration et mon amitié. *Molto cordialmente*. Sergiu Celibidache. 1966 ».

## Un géant à l'OSQ : Celibidache

Lors du lancement de la saison 1965-1966, Françoys Bernier est particulièrement fier d'annoncer la venue de nombreuses têtes d'affiche, dont le pianiste Robert Casadesus. Âgé de 66 ans, le grand pianiste français interprétera le *Concerto en do mineur*, K. 491, de Mozart ainsi que le *Concerto pour la main gauche* de Ravel le 22 novembre 1965, sous la direction de Jean Beaudet. Bernier parle aussi du retour de Maurice Gendron et de Pierre Dervaux, mais surtout de la visite du chef roumain Sergiu Celibidache. Personnage mythique, réputé pour son caractère intraitable en matière de travail, pour son refus obstiné d'enregistrer des disques et pour ses nombreuses déclarations fracassantes, Celibidache a toujours refusé de diriger aux États-Unis ou au Canada. Et voilà qu'à la faveur de stages qu'il effectue avec lui à Sienne, Françoys Bernier réussit à persuader ce Goliath de traverser l'Atlantique pour se produire avec un petit orchestre régional perdu dans un pays de froid et de neige !

Les concerts de Celibidache — trois sont prévus — doivent clôturer la saison. Peu après sa descente d'avion à Dorval, le maestro rencontre la presse. Il se montre tout d'abord aimable et courtois, mais bien vite il fait des remarques qui choquent certaines personnes de l'assistance, dont Wilfrid Pelletier. Yves Margraff du *Devoir* rapporte l'incident : « Pour une personne présente, au moins, la consternation se mua en un sentiment moins serein quand Celibidache, qui avait "descendu" sans autre forme de procès Ormandy, Stokowski, Bernstein, Walter et combien d'autres, déclara : "Aucune des personnes présentes n'a jamais entendu une interprétation convenable de la Neuvième de Beethoven." Modestement, Wilfrid Pelletier [...] leva la main et dit : "Oui, moi, par Toscanini avec qui j'ai travaillé 22 ans alors que vous n'avez entendu que ses disques auxquels vous ne croyez pas, vous venez de le dire." Un moment décontenancé, Celibidache se lance dans l'explication sonore d'un mouvement dont il prétend que Toscanini ne le "battait" pas comme il faut.

## UNE AUTRE RÉVOLUTION TRANQUILLE (1960-1975)

Pelletier n'en peut entendre davantage, il tourne les talons et laisse tomber : "Je vous le laisse." » Pelletier quittera la direction de l'OSQ peu après la venue de Celibidache, que Bernier avait invité sans le consulter.

Arrivé à Québec, Celibidache prend contact avec la ville qui l'enchante : « Québec, ce n'est pas l'Amérique », constate-t-il avec plaisir. Puis, il commence les répétitions pour le premier concert, celui du 11 avril, au programme duquel sont inscrits la *Quatrième symphonie* de Schumann, la *Rhapsodie espagnole* de Ravel et des extraits du ballet *Roméo et Juliette* de Prokofiev. Sa mémoire fabuleuse lui permet de répéter sans partition. En quelques jours, il façonne l'orchestre à sa manière. Le critique montréalais Jacob Siskind, qui a assisté à la plupart des répétitions au cours de la semaine précédant le concert, en fait un compte rendu très détaillé dans l'édition du 16 avril de *The Gazette*. Il écrit entre autres : « Jamais je n'avais entendu ces morceaux rendus de cette façon, jamais ils n'avaient été interprétés avec autant de conviction. Jamais. » Parlant de la symphonie de Schumann, il ajoute : « L'enchaînement entre les troisième et quatrième mouvements de la *Quatrième* de Schumann était tout simplement stupéfiant. » Siskind ajoute : « Tout à coup, la salle de concert a disparu, les musiciens et le chef d'orchestre ont été oubliés. C'était de la musique à l'état pur. [...] En regardant Celibidache s'abreuver d'applaudissements pendant quelques secondes à la fin de la symphonie, je savais que quelque chose lui était arrivé pendant l'exécution. Le sentiment que quelque chose de merveilleux avait été réalisé se répandait dans la salle. [...] Quelque chose s'était produit dans la vie musicale de Québec. »

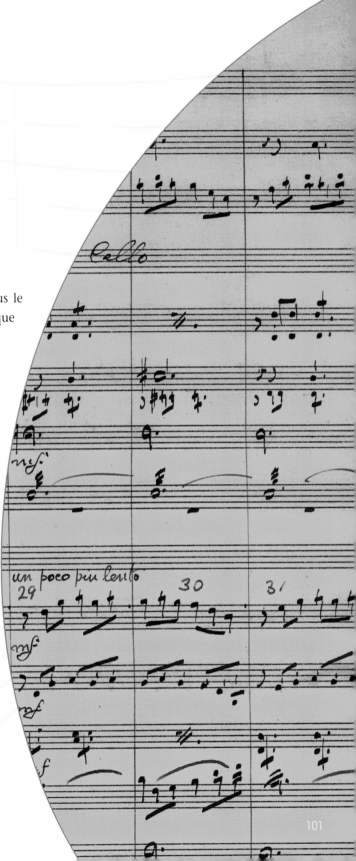

Celibidache dirige l'OSQ, le Chœur symphonique et les solistes
Pierrette Alarie, Réjane Cardinal, Léopold Simoneau
et Gaston Germain dans le *Requiem* de Mozart
à la Place des Arts de Montréal le 21 avril 1966.

## Mozart à la Place des Arts

Le mercredi 20 avril 1966, un peu plus d'une semaine après cette soirée hors du commun, Celibidache dirige le *Requiem* de Mozart à l'église Saint-Roch, avec le Chœur symphonique, l'OSQ et les solistes Pierrette Alarie, Réjane Cardinal, Léopold Simoneau et Gaston Germain. Bien que défavorisé par une acoustique capricieuse, Celibidache remporte un nouveau triomphe. Le lendemain, le même programme est offert à la Place des Arts de Montréal. C'est la première fois que l'orchestre se fait entendre dans la métropole depuis 1907 ! À la fin du concert, le public se lève spontanément et applaudit avec ferveur. La critique est cependant plus mitigée. Dans *La Presse*, Jean Vallerand écrit que, dans la *Symphonie «Jupiter»*, «l'orchestre s'est comporté avec une méticulosité dont l'application débouche sur l'indifférence» alors que, dans le *Requiem*, la participation de l'orchestre «a été beaucoup plus active». Eric McLean, du *Montreal Star*, pense également que ce que les interprètes ont gagné en précision, ils l'ont peut-être perdu en spontanéité. Il précise toutefois : «Mais ne vous y trompez pas ; nous avons été témoins d'une direction orchestrale magistrale, et d'une expérience mémorable tant pour les spectateurs que pour tous ceux et celles qui ont participé à l'interprétation».

Interviewé par Marc Samson du *Soleil*, qui lui demande si l'OSQ peut espérer un jour le retour du chef roumain, Françoys Bernier répond : «Celibidache a dit lui-même être venu à Québec une première fois pour moi. Mais son retour [...] dépend de l'attitude des personnes qui ont en main la vie musicale de Québec : gouvernements, corps publics, musiciens, auditeurs, etc.» Or, visiblement, Celibidache est satisfait puisqu'il accepte de reparaître à l'OSQ dès le début de la saison 1966-1967 qu'il inaugurera le 3 octobre.

## LA TRANSITION DE FRANÇOYS BERNIER

Au printemps de 1966, après 15 ans de service, Wilfrid Pelletier remet sa démission. Françoys Bernier lui succède sans toutefois prendre le titre de directeur musical ; il conserve celui de directeur général.

En octobre 1966, l'orchestre célèbre le retour triomphal de Celibidache, appelé à diriger deux fois plus de concerts que lors de son premier séjour. Le 3 octobre 1966, le chef roumain dirige la *Pastorale* de Beethoven, deux des trois *Nocturnes* de Debussy (« Nuages » et « Fêtes ») et une suite tirée de *L'Oiseau de feu* de Stravinski, le tout précédé du *Ô Canada* dans une orchestration de Roger Matton. Chef et musiciens redonnent le même programme le lendemain à Rimouski, puis le 11 octobre au Théâtre Capitol de Trois-Rivières. Dans cette ville, Celibidache dirige aussi une matinée à laquelle participe un jeune pianiste de 16 ans, Guy Rocheleau, alors élève de Czeslaw Kaczynski au Conservatoire de musique de Trois-Rivières.

De retour à Québec, l'orchestre et son chef invité se présentent au public du premier concert du jeudi et du deuxième concert d'abonnement, exception- nellement offert au Théâtre Capitol « afin de permettre à un plus grand public d'y assister ». Au programme, la *Neuvième symphonie* de Chostakovitch, les *Variations sur un thème de Haydn* de Brahms et la seconde suite de *Daphnis et Chloé* de Ravel. Cette œuvre constitue la brillante apothéose de la soirée et, par la même occasion, de cette deuxième visite de Celibidache à Québec. George Hilbert Waddington du *Quebec Chronicle Telegraph* écrit que « l'Orchestre symphonique de Québec n'a jamais été meilleur… à certains moments, il sonnait presque comme le Philharmonique de Londres », rien de moins !

À l'exception de quelques concerts au Mexique au début des années 1950, Celibidache n'aura dirigé aucun autre orchestre professionnel que l'OSQ en Amérique du Nord.

« Vous savez très bien votre concerto, vous l'avez appris avec un excellent maître. J'aime particulièrement votre larghetto », d'affirmer Celibidache au jeune Guy Rocheleau, 16 ans, élève au Conservatoire de Trois-Rivières. Ce dernier vient d'interpréter le *Concerto en do* de Paisiello lors d'une matinée symphonique le 11 octobre 1966 au Théâtre Capitol de Trois-Rivières.

Programme du concert du 27 novembre 1967
à l'occasion duquel fut créé le *Te Deum* de
Roger Matton sur un texte de Mgr Félix-Antoine Savard.
Ce programme est imprimé sur du papier grand-luxe
incrusté de fleurs et de feuilles de la Papeterie Saint-Gilles
de Saint-Joseph-de-la-Rive, entreprise artisanale fondée
un an plus tôt par Mgr Savard.

# TE DEUM

## LAUDAMUS

### Une autre saison riche

D'autres têtes d'affiche participent à cette saison. Au troisième concert de série, le 14 novembre 1966, la pianiste Alicia de Larrocha interprète les *Nuits dans les jardins d'Espagne* de Manuel de Falla. Le 12 décembre suivant, le violoniste Christian Ferras déroute une partie des abonnés avec le *Concerto à la mémoire d'un ange* d'Alban Berg. Enfin, le célèbre baryton Gérard Souzay chante le cycle *Don Quichotte à Dulcinée* de Ravel le 6 mars 1967. La saison s'achève avec un concert où Pierre Dervaux dirige son *Concerto pour violoncelle* avec, comme soliste, Michel Marchesini.

Plus tôt en saison, soit le 20 janvier 1967, l'orchestre avait reçu la pianiste Lili Kraus à l'occasion du quatrième « Grand Soir ». Madame Kraus, qui joue avec partition les *Concertos n^os 17* et *22* de Mozart, n'apparaît pas au meilleur de sa forme et déçoit public et critiques ; mais le bal qui fait suite au concert connaît un grand succès. L'OSQ offre à ses invités une « Nuit autrichienne » qui se déroule sous le signe de la valse viennoise. La direction est assurée par Françoys Bernier et Edwin Bélanger qui, en 1961, a joint les rangs de l'orchestre comme violoniste.

À l'été de 1967, Françoys Bernier réalise un projet qui lui tient à cœur : un festival d'été. Six grandes soirées, dont trois concerts « À la chandelle » avec fromages, bières et vins, sont offertes au Manège militaire entre les 11 et 29 août. S'y produisent le baryton Louis Quilico, la basse Joseph Rouleau et le pianiste Samson François qui joue le *Concerto en la mineur* de Grieg. Pierre Hétu, Pierre Dervaux et Jean Beaudet partagent le podium avec Françoys Bernier. La reprise du *Carmina Burana*, le 22 août, constitue l'un des temps forts de ce festival. Coïncidence — ou conséquence — le Festival d'été de Québec naît un an plus tard.

## UNE AUTRE RÉVOLUTION TRANQUILLE (1960-1975)

### *Te Deum laudamus*

Au cours de son histoire, un orchestre vit forcément des événements de toutes natures. Le concert du 2 novembre 1967 est entré dans les annales pour une raison singulière. Ce soir-là, la pianiste invitée, Gaye Alcock, en est à la première cadence du *Deuxième concerto* de Saint-Saëns quand le directeur du personnel, François Magnan, fait irruption sur scène. Ce dernier glisse quelques mots à l'oreille de Françoys Bernier qui, après avoir interrompu les musiciens, se tourne vers le public et demande qu'on évacue la salle calmement. En trois minutes, le Palais Montcalm est désert. Un appel anonyme avait annoncé qu'une bombe allait sauter à 19 h 25. Force est de constater qu'il s'agissait d'un canular. Le concert est reporté au lendemain.

Le 27 novembre, l'OSQ célèbre son 65e anniversaire par la présentation d'un *Te Deum* commandé par l'orchestre à Roger Matton. À l'origine, l'œuvre devait être créée lors de l'inauguration du Grand Théâtre, prévue pour 1967. L'arrêt des travaux de la salle, causé par d'importants dépassements budgétaires, oblige l'orchestre à chercher une nouvelle destination à l'ouvrage. En dépit de certains passages difficiles d'accès, l'œuvre, écrite sur un texte de Mgr Félix-Antoine Savard, fait dire à Marc Samson dans *Le Soleil* : « L'enthousiasme qui a accueilli la fin de l'audition a souligné à quel point le public peut ne pas être réfractaire aux œuvres nouvelles lorsque celles-ci savent le toucher ». À l'entracte, une médaille commémorative à l'effigie de Joseph Vézina est décernée « aux anciens présidents et aux principaux animateurs de l'Orchestre ».

La médaille Joseph-Vézina, œuvre du sculpteur et caricaturiste Raoul Hunter. L'exemplaire présenté ici a été remis à Hermann Courchesne, l'un des fondateurs de l'orchestre en 1902.

Parmi les nombreux grands artistes qui se produisent au cours de cette saison, il faut mentionner le guitariste Narciso Yepes qui, le 14 mars 1968, exécute le célèbre *Concierto de Aranjuez* de Rodrigo. Le lendemain a lieu la soirée bénéfice qui remplace désormais le « Grand Soir », dont la formule commence à s'essouffler. Il s'agit d'une « Fête de nuit » sans concert. Au milieu de la réception gastronomique, avec soirée de danse, la chanteuse Renée Claude, vedette de l'heure, interprète quelques-uns de ses succès.

Affiche des matinées symphoniques.

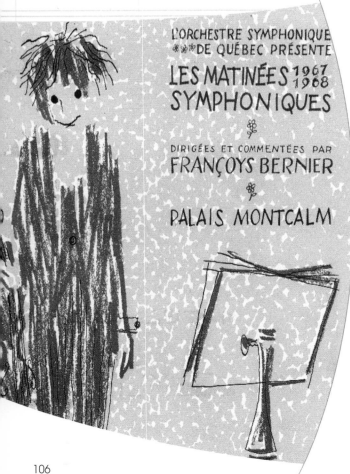

L'ORCHESTRE SYMPHONIQUE
❋❋❋ DE QUÉBEC PRÉSENTE

LES MATINÉES 1967 1968

SYMPHONIQUES

❀

DIRIGÉES ET COMMENTÉES PAR

FRANÇOYS BERNIER

❀

PALAIS MONTCALM

## UN PREMIER CHEF ÉTRANGER : PIERRE DERVAUX

Avec son sens exceptionnel de l'organisation et ses réalisations spectaculaires, Françoys Bernier ne peut faire autrement que de bousculer constamment l'administration de l'orchestre. Le 23 mars 1968, à la suite d'un différend au sujet de certaines dépenses contestées par la direction, Bernier remet sa démission. En mai, le bureau de direction de l'orchestre annonce l'embauche de Pierre Dervaux. Âgé de 51 ans, le sixième chef de l'OSQ présente une feuille de route impressionnante. Chef attitré de l'Opéra de Paris depuis 1956, ancien chef des Concerts Pasdeloup et des Concerts Colonne, il possède une vaste connaissance du répertoire symphonique. Spécialiste de la musique française, dont il fera constamment la promotion à l'OSQ, il a créé des œuvres de Barraud, Françaix, Milhaud, Tomasi et plusieurs autres. Un chef d'une telle stature constitue un immense atout et un grand pas en avant pour l'orchestre québécois.

La nomination de Pierre Dervaux fait la manchette des grands journaux du Québec. Le premier étranger à la tête de l'OSQ accorde diverses entrevues, notamment à Marc Samson du *Soleil* qui lui demande ce que représente pour lui le fait de succéder à Françoys Bernier. Dervaux répond sans ambages : « C'est prendre la succession d'un homme qui a parfaitement réussi sa mission. Car je pense que Françoys Bernier a fait beaucoup pour la musique à Québec et personne ne peut le nier. J'essaierai, très modestement, de continuer dans sa ligne. » Il affirme aimer travailler avec l'OSQ, sachant l'orchestre capable de belles réalisations pour l'avoir dirigé à plusieurs reprises auparavant. De plus, il se sent bien dans la ville (« Quand j'arrive à Québec, j'ai l'impression de rentrer chez moi ») et souhaite s'engager activement dans son développement culturel. Sa seule réserve concerne le climat : « Vos hivers, je ne m'y habituerai jamais ».

Pierre Dervaux, l'un des chefs les plus prestigieux de l'histoire de l'OSQ.

107

Jean Lapointe et Jérôme Lemay (les Jérolas) se produisent avec l'OSQ, sous la direction d'Edwin Bélanger, lors d'un concert hors série offert par le Groupe La Laurentienne pour de son 30ᵉ anniversaire.

Pour Dervaux, deux choses pressent : il faut augmenter le nombre de cordes et stimuler l'intérêt du public. Il croit que ce point passe par une certaine diminution du nombre d'ouvrages contemporains. Lui-même grand défenseur de la musique de son temps, il affirme : « Il ne faut pas aller trop loin dans la musique d'avant-garde, même si je souhaiterais plus de contemporains et de modernes ». Pourtant, si l'on en juge par ses programmes, on constate que Dervaux est loin de négliger la musique du XXᵉ siècle. Pour ce qui est l'augmentation des effectifs, Dervaux attendra en vain.

Grâce à sa vaste expérience et à son oreille exceptionnellement sensible, Dervaux se montre d'une rare efficacité aux répétitions. Il sait exactement comment obtenir les résultats qu'il attend de ses musiciens, à tel point que les répétitions se terminent souvent avant l'heure prévue. Les chefs invités qu'il accueillera le complimenteront souvent sur la cohésion de ses instrumentistes. Par ailleurs, il ne répète qu'en français : les anglophones de l'orchestre deviennent vite bilingues !

### Un orchestre de haute stature

Dès sa première saison (1968-1969), Dervaux invite des artistes de premier plan : le pianiste Jörg Demus (*Troisième concerto* de Beethoven), le flûtiste Jean-Pierre Rampal (*Premier concerto* de Mozart) le chef Jean-Claude Casadesus — un de ses anciens élèves, qui, le 30 janvier 1969, fait avec l'OSQ ses débuts nord-américains — ainsi que deux danseurs de l'Opéra de Paris, Cyril Atanasoff et Anne Daubresse. Le nouveau directeur musical met aussi le Chœur symphonique à forte contribution avec, en décembre 1968, *Le Roi David* d'Honegger puis, le 3 avril 1969, le *Requiem* de Duruflé et, quelques semaines plus tard, la *Fantaisie pour chœur et piano* et la *Neuvième symphonie* de Beethoven. À la mi-avril, Dervaux et ses musiciens participent au Lewiston and Auburn Arts Festival dans le Maine, deuxième sortie de l'orchestre aux États-Unis.

## UNE AUTRE RÉVOLUTION
## TRANQUILLE (1960-1975)

L'année suivante, Dervaux invite trois grandes vedettes internationales : le ténor Jon Vickers, le guitariste Alexandre Lagoya et le pianiste Arturo Benedetti Michelangeli qui joue «*L'Empereur*» de Beethoven sous la direction de Jean-Claude Casadesus. Le pianiste italien demande expressément que son propre technicien refasse la touche et la mécanique du piano, auquel dès lors nul n'a plus le droit de toucher, pas même le violon solo pour procéder à l'accord de l'orchestre. Après deux ans de direction musicale, Dervaux se dit très satisfait de ses musiciens : «Le niveau artistique est celui des grands orchestres internationaux ; nous n'avons pas à nous faire de complexe d'infériorité, du tout du tout ; je ne saurais trop insister là-dessus».

### Démocratisation et avant-garde

En raison de la disparition du Théâtre lyrique du Québec, la saison 1970-1971 est écourtée de quelques semaines. Les concerts de la série principale sont par ailleurs offerts désormais le mardi — avec reprise le mercredi jusqu'à l'inauguration du Grand Théâtre, dont les travaux touchent à leur fin. Cette saison est marquée par une volonté de démocratisation. L'orchestre adopte un slogan qui traduit cette orientation : «Tout le monde va à l'Orchestre». Pour se rapprocher du grand public, un «KI-OSQ» est aménagé à Expo-Québec. Parallèlement, en septembre, une «Semaine de l'OSQ» conduit les musiciens dans les grands centres commerciaux de la région. L'orchestre se fait aussi connaître par une émission à Télé-4, *Musique en notre temps*, diffusée le dimanche. Plusieurs concerts à caractère populaire sont prévus au cours de l'année, dont une tournée avec Claude Léveillée, un concert avec André Gagnon (qui interprétera le *Concerto n° 21* de Mozart), un autre avec Gilles Vigneault et un autre encore avec Vic Angelillo, à qui l'OSQ a commandé une œuvre pour formation de jazz et orchestre.

Au «Ki-OSQ» d'Expo-Québec en 1970, le corniste Robert Brünnemer explique le fonctionnement de son instrument à un jeune garçon visiblement fasciné.

Yvonne Loriod, Olivier Messiaen et Pierre Dervaux,
au Palais Montcalm en octobre 1970.

Deux manières pour un tubiste
— en l'occurrence John Taylor —
de «souffler» un peu…

Ces activités spéciales, auxquelles Dervaux souscrit de bonne grâce, demeurent cependant en marge des concerts de série. Ceux-ci réservent aux abonnés de riches émotions. À l'automne de 1970, au milieu de la crise d'octobre, l'OSQ reçoit un visiteur de marque, le compositeur Olivier Messiaen, venu assister en personne à l'exécution de deux de ses œuvres. Des œuvres fort exigeantes, au demeurant: *Le Réveil des oiseaux*, pour piano et orchestre, et surtout *Chronochromie*, une partition monumentale. Dervaux est conscient de l'enjeu de cet événement et il prépare ses musiciens avec une extrême rigueur. Partition en main, Messiaen assiste aux dernières répétitions et se dit fort impressionné par la précision du travail de Dervaux. Il félicite chaleureusement les musiciens et leur chef. Il leur explique que, peu de temps auparavant, *Chronochromie* avait reçu une exécution approximative à Londres, en particulier dans l'«Épode», section aux entrées très rapprochées et extrêmement complexes. Dervaux se tourne alors vers lui et rétorque: «Mais maître, vous n'êtes pas à Londres, vous êtes à Québec».

Les 27 et 28 octobre, Messiaen prend place au balcon du Palais Montcalm. Dervaux dirige tout d'abord l'ouverture de *L'Enlèvement au Sérail* et le *Concerto n° 25* de Mozart que joue l'épouse de Messiaen, Yvonne Loriod. Cette dernière tient également la partie solo du *Réveil des oiseaux*. Puis, les musiciens et leur chef attaquent *Chronochromie*, la pièce de résistance de la soirée. La vieille salle résonne alors de couleurs sonores inusitées qu'un public attentif reçoit comme une onde de choc. Après l'exécution, les applaudissements fusent. On fait descendre le compositeur: «L'image de Messiaen, visiblement heureux et satisfait, debout au milieu des musiciens après l'exécution de "Chronochromie" demeurera un des plus beaux et des plus émouvants souvenirs de l'Orchestre symphonique de Québec», comme le fait remarquer Marc Samson dans sa critique.

### Le Grand Théâtre... enfin !

En janvier 1971, le Grand Théâtre est enfin prêt à recevoir ses premiers spectacles. Après de vives discussions, c'est à l'OSQ que revient l'honneur d'inaugurer la salle Louis-Fréchette. Symbole par excellence du dynamisme culturel de la capitale depuis près de 70 ans, l'orchestre a été préféré aux Grands Ballets canadiens. Le 17 janvier 1971, en début de soirée, les portes s'ouvrent devant un public ébahi. Wilfrid Pelletier a été invité à diriger l'orchestre en première partie de programme. Venu exprès de New York, le vieux maestro est fort ému au moment d'attaquer l'ouverture du *Messie* de Haendel, suivie du chœur « And the Glory of the Lord » et de l'« Hallelujah » du même oratorio. C'est aussi lui qui tient la baguette dans le *Concerto pour deux pianos* de Mozart, interprété par le duo Bouchard et Morisset. Pierre Dervaux prend le relais en seconde partie pour le *Concerto pour deux pianos* de Roger Matton, avec les mêmes solistes. La seconde suite du ballet *Daphnis et Chloé* de Ravel, avec le concours du Chœur symphonique, conclut brillamment ce programme qui permet de découvrir une acoustique beaucoup plus ample que celle du Palais Montcalm et un OSQ à son meilleur.

Enfin, le Grand Théâtre !

### Surprises de fin de saison

Le 26 janvier 1971, une semaine après l'inauguration du Grand Théâtre, Gilles Vigneault se fait entendre avec l'OSQ sous la direction de Léon Bernier. Vigneault se produit d'abord avec ses propres musiciens puis, à la fin du concert, avec l'orchestre. « Cette formule, pour boiteuse qu'elle puisse paraître à première vue, correspond non seulement à un goût mais pourrait constituer cet élément de contact susceptible d'amener aux concerts réguliers de l'OSQ un public plus diversifié et plus nombreux », commente Marc Samson dans *Le Soleil*.

Pierre Dervaux, Hidetaro Suzuki et Jean-Louis Rousseau.

En mars, Lukas Foss, surtout connu comme compositeur, dirige l'OSQ dans un concert entièrement consacré à Tchaïkovski. Puis, le 6 avril suivant, le Chœur symphonique et l'OSQ sous la direction de Dervaux donnent la première audition à Québec de la *Missa solemnis* de Beethoven. Au moment de s'attaquer à cet exigeant chef-d'œuvre, Dervaux se tourne vers le public et annonce que l'exécution est dédiée à la mémoire d'Igor Stravinski, décédé le jour même à New York. Le chœur et les musiciens se tirent fort bien d'affaire, mais à peine l'accord final a-t-il retenti qu'un jeune homme se met à huer les exécutants à pleins poumons. Choqué par un tel comportement, le public tente de noyer ses vociférations par des applaudissements redoublés. Dans sa critique, Marc Samson ne fait nullement allusion à l'incident, tandis que Jean Royer de *L'Action* en fait grand cas. Il offre au jeune homme de s'expliquer. Une lettre signée « Paul du Bois, compositeur et révolutionnaire » paraît dans l'édition du 17 avril de *L'Action*. Celui-ci parle tout d'abord de l'interprétation de la *Missa solemnis*, qu'il a trouvé affreuse, mais il affirme surtout : « L'OSQ se meurt. J'en suis bien heureux parce que c'est une entreprise bourgeoise qui ne profite qu'aux bourgeois et qui exploite le pauvre monde en leur [sic] faisant payer pour les saloperies qu'ils [sic] nous servent. »

Cette sortie intempestive n'empêche nullement l'orchestre de terminer sa saison en beauté avec la création, le 29 avril, de *Tangentes*, une œuvre pour combo de jazz et orchestre symphonique de Vic Angelillo qui soulève l'enthousiasme du public autant que l'admiration du critique Marc Samson.

## Une saison audacieuse

Quoi que certains puissent en penser, la présence du Grand Théâtre constitue un puissant stimulant pour les arts à Québec et la musique des compositeurs modernes est loin d'être négligée à l'OSQ. Au cours de la saison 1971-1972, la série principale présente des œuvres de Garant, Dutilleux, Barber, Bartók, Chostakovitch et Papineau-Couture. Les noms de Bernstein, Copland, Norman Symonds, Michel Perrault, Penderecki, Jean-Claude Éloy, Miroslav Kabeláç, Prokofiev, Jean Vallerand, Henri Sauguet, André Prévost, Webern et Kodály figurent pour leur part aux programmes des « concerts spéciaux », version rajeunie des concerts du jeudi. Cette série reçoit, entre autres, l'Ensemble Vic Angelillo, les Percussions de Strasbourg et l'harmoniciste Claude Garden. Le volet populaire n'est pas négligé pour autant. En septembre 1971, la chanteuse Frida Boccara se fait entendre avec Dervaux dans deux concerts présentés à guichets fermés et qui remportent un succès phénoménal. Parmi les solistes de la saison figurent la soprano Roberta Peters, les violoniste et altiste Régis et Bruno Pasquier, les pianistes Murray Perahia et Garrick Ohlsson, le violoniste Ruggiero Ricci, le ténor Jon Vickers. Le concert du 11 avril 1972, avec le chef invité Franco Mannino, futur directeur musical de l'Orchestre du Centre national des arts d'Ottawa, suscite un enthousiasme qui confine au délire. Sous sa direction, les musiciens sont littéralement galvanisés.

« Quand j'arrive à Québec, j'ai l'impression de rentrer chez moi. »
Pierre Dervaux, encadré par le président Paul-A. Côté
et le directeur général, François Magnan, à l'aéroport de Québec.

## Choyer le public

Malgré ses succès, la direction de l'OSQ croit important de mieux cibler son public. À cet effet, le comité exécutif commande une étude à deux étudiants à la maîtrise en administration, Hélène Dostaler et Gilles Châtillon, qui en font le sujet de leur thèse. Déposée en mai 1972 et intitulée *Étude des marchés de l'Orchestre symphonique de Québec*, leur recherche recommande, notamment, de tenir rigoureusement compte des « désirs des amateurs ». C'est ainsi que la saison 1972-1973 est constituée d'œuvres on ne peut plus accessibles (le critique Marc Samson la juge

«d'un conservatisme comme on n'en avait guère vu depuis que l'orchestre est devenu professionnel»). Elle réunit en revanche une brochette de solistes d'un prestige étourdissant: les pianistes Rudolf Firkusny, Ivan Moravec et Jörg Demus, le violoniste Ruggiero Ricci, le harpiste Nicanor Zabaleta, la contralto Maureen Forrester et la grande soprano allemande Rita Streich. À la matinée du 16 décembre, les enfants sont ravis d'entendre la jeune vedette de l'heure, René Simard. Quant au Chœur symphonique, il se produit dans *La Création* de Haydn et le *Requiem* de Verdi. Alors que l'on observe une diminution de l'assistance pour l'ensemble des activités artistiques présentées en 1972-1973 au Grand Théâtre, l'OSQ voit pour sa part ses abonnements augmenter de façon significative.

La saison prend fin le 5 mai 1973 alors que, sur la vive recommandation du ténor Jon Vickers, l'orchestre participe au prestigieux Guelph Spring Festival en Ontario. C'est la première sortie de l'orchestre en Ontario depuis 1908. On y donne entre autres, en première mondiale, *Chroma* de Clermont Pépin.

### Une éclatante fin de règne

En 1971, Pierre Dervaux avait accepté la direction musicale du tout nouvel Orchestre national des Pays de la Loire, ce qui le contraignait à des déplacements épuisants. En 1973, il annonce qu'il quittera l'OSQ au terme de la saison 1973-1974. On le persuade toutefois de demeurer en poste jusqu'en 1975. En dépit de l'incertitude qui guette l'orchestre durant ces années de transition, les deux dernières saisons de Dervaux n'en compteront pas moins plusieurs sommets artistiques. C'est le cas du concert du 2 octobre 1973, avec la basse Joseph Rouleau, qui «a l'effet d'un coup d'éclat» selon Marc Samson. L'assistance réserve au soliste et au chef «une ovation debout [sic], fait rarissime de la part du public québécois». Les choses ont bien changé!

Le second concert de la saison, le 16 octobre, a aussi quelque chose d'historique. Le chef invité de ce concert est un jeune Américain de race noire affligé d'un sérieux handicap physique. Ce dernier électrise littéralement le public. «En cinq répétitions, souligne Marc Samson, James DePreist a complètement modifié la sonorité de l'OSQ, il a réussi à faire chanter les cordes comme jamais, à obtenir de ces longues phrases où la musique a tout le temps de respirer et de s'exprimer.» Le critique du *Soleil* voit en DePreist «un très grand chef qui se doit de reparaître au pupitre de l'OSQ dès l'an prochain». Un vœu qui sera plus qu'exaucé.

Le concert du 27 novembre vaut aussi une «délirante ovation» au trompettiste Maurice André qui fait alors ses débuts canadiens. Le grand musicien français se fait notamment entendre dans le *Concerto en mi bémol* de Haydn. En fin de saison, le sitariste Ravi Shankar exécute un concerto de sa composition, une curiosité appréciée du public.

La saison 1974-1975 ne manque pas non plus d'intérêt. Pour le concert inaugural, Dervaux dirige une remarquable exécution de la *Symphonie fantastique* de Berlioz ainsi qu'un court opéra à deux personnages de Menotti, *Le Téléphone*, interprété par Colette Boky et Pierre Mollet dans une mise en scène de Dervaux lui-même. Deux semaines plus tard, l'OSQ retrouve James DePreist qui enchante à nouveau son auditoire, ce qui est encore le cas au début de novembre alors qu'il dirige, à guichets fermés, une mémorable *Cinquième symphonie* de Beethoven. Cette même saison verra la première apparition à l'OSQ du pianiste André Laplante, qui se fait entendre dans le *Troisième concerto* de Rachmaninov, ainsi que les débuts nord-américains d'un chef en pleine ascension, Charles Dutoit. Le 4 mars 1975, il triomphe dans le *Concerto pour orchestre* de Bartók. La saison s'achève par

Sous la direction de Dervaux, le sitariste Ravi Shankar exécute son propre concerto pour sitar et orchestre, les 27 et 28 avril 1974. Aux yeux du critique Marc Samson, cette œuvre hybride «n'ajoute pas plus à la littérature musicale occidentale qu'à celle de l'Inde» mais n'en constitue pas moins «un excellent véhicule pour son créateur».

115

le concert d'adieu de Dervaux, qui marque également le retour de Régine Crespin. Berlioz et Wagner sont au programme. Au terme de la soirée, qui s'achève sur la « Mort d'Isolde » de *Tristan*, le public réserve à Dervaux et à Crespin une ovation émue.

Journalistes, musiciens, mélomanes en témoignent : Pierre Dervaux laisse l'OSQ transformé et un bilan exceptionnellement brillant. De plus, il a su faire l'unanimité autour de lui et c'est avec tristesse qu'il quitte ses musiciens. Lors d'une entrevue à la radio, peu avant son départ, il leur rend un bel hommage : « J'ai les mêmes joies avec l'Orchestre de Québec que je pourrais en avoir avec, par exemple, l'Orchestre de Montréal. Encore qu'à l'Orchestre de Québec — je n'ai pas peur de le dire — je trouve une simplicité, une gentillesse et une modestie que je ne trouve peut-être pas ailleurs ». Bien qu'étranger, Dervaux a parfaitement su s'intégrer au milieu québécois, dont il a encouragé la création musicale avec conviction et énergie. Comme le souligne très justement Marc Samson dans *Le Soleil* : « Dervaux s'est efforcé de défendre bon nombre d'ouvrages contemporains [...] et plus particulièrement ceux de compositeurs québécois et canadiens. Dans ce domaine, il a en fait montré plus d'audace que la plupart de ses collègues musicalement responsables des orchestres symphoniques du Canada. »

La *Messe en si mineur* de Bach, donnée en avril 1974 dans la chapelle du Grand Séminaire, l'actuel pavillon Louis-Jacques-Casault de l'Université Laval.

# GLANURES MUSICALES...

- 1961 : (22 février) Thomas Schippers dirige l'Orchestre symphonique de Montréal au Capitol. Le soliste, le violoniste Zino Francescatti, interprète le *Concerto en ré* de Beethoven.

- 1961 : (4 avril) récital de la soprano Elisabeth Schwarzkopf (Club musical).

- 1961 : (12 octobre) le pianiste Vlado Perlemuter invité du Club musical.

- 1962-1963 : l'OSM donne une série de quatre concerts répartis au cours de la saison. Présentée au Capitol, cette série est dirigée alternativement par Charles Munch et Zubin Mehta.

- 1962 : (15 novembre) récital du pianiste Vladimir Ashkenazy au Château Frontenac (Club musical).

- 1962 : (11 décembre) le Club musical reçoit le Trio Beaux-Arts.

- 1963 : (19 juin) Mantovani et son orchestre au Capitol.

- 1963 : (29 octobre) l'OSM se produit au Capitol sous la direction de Zubin Mehta. Les solistes sont la mezzo-soprano Shirley Verret et le ténor Richard Verreau.

- 1964 : (21 février) la mezzo-soprano Teresa Berganza est l'invitée du Club musical.

- 1964 : (3 octobre) le pianiste Sviatoslav Richter en concert au Capitol.

CHAPI

# LES TEMPS MODERNES (1975-2002)
## LE CHARISME DE JAMES DEPREIST

Il aura fallu un certain temps pour trouver un successeur à Pierre Dervaux. Le comité de sélection, formé du président de l'orchestre, Paul-A. Côté, de la pianiste Renée Morisset et du violoncelliste Pierre Morin, retient les noms de Franz Paul Decker, Franco Mannino et James DePreist. Les instrumentistes — dont le nombre avoisine toujours 70, en comptant les surnuméraires — désignent ce dernier pour succéder à Dervaux. Rendue publique en août 1975, la nomination de DePreist n'est cependant en vigueur qu'à l'automne de 1976.

Ce choix ne fait toutefois pas l'unanimité en raison du fait que DePreist ne parle pas français. Pour sa part, DePreist voit dans cette situation un nouveau défi. Lorsqu'il se présente devant les musiciens, il affirme : « Vous avez besoin d'un chef qui parle français. Je ne suis encore qu'un chef invité. Attendez ! Quand je serai votre directeur musical, je parlerai français ». Et il tiendra parole.

### Une saison de transition active

L'absence de direction artistique pour la saison 1975-1976 ne signifie nullement la stagnation à l'OSQ, au contraire. Après un très beau lancement de saison, les musiciens se produisent sur la Côte-Nord, sous la direction de Pierre Morin. À Baie-Comeau, l'assistance ne dépasse guère 250 personnes. Un journaliste local, René Vallée, est indigné de l'indifférence des gens de sa ville face aux manifestations artistiques : « Il est vrai que Pierre Morin ne dirigeait pas avec un bâton de baseball ou de hockey. On aurait certes obtenu plus de succès avec l'exposition des patins qui ont appartenu à un quelconque crétin qui fait carrière dans le sport professionnel. » Vallée souligne là un problème qui n'est pas nouveau, comme on a pu le constater dès le tout premier chapitre de cet ouvrage…

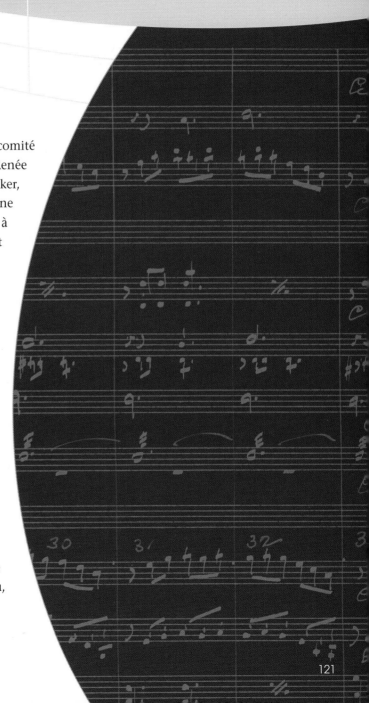

*Don Pasquale* de Donizetti, production de l'OSQ, présenté
au Palais Montcalm en février 1976. De gauche à droite :
Giulio Kukurugya (Don Pasquale), Léo Savard (le notaire),
Colette Boky (Norina) et Robert Savoie (Malatesta).
Depuis son association avec le Théâtre lyrique
de la Nouvelle-France en 1963, l'OSQ a toujours été
le partenaire privilégié des compagnies d'opéra locales.

De retour à Québec, l'orchestre présente en novembre 1975 un concert expérimental de musique canadienne avec des œuvres de Roger Matton, François Morel et Gilles Tremblay, chacune dirigée par son auteur. Les trois dernières répétitions sont ouvertes au public qui vient en relativement grand nombre. L'accueil au concert lui-même s'avère cependant « plus poli qu'enthousiaste ». En décembre, l'OSQ instaure une nouvelle tradition en accompagnant le *Casse-Noisette* des Grands Ballets canadiens dans la magnifique chorégraphie de Fernand Nault. De leur côté, les matinées symphoniques font l'objet d'une refonte totale. Toujours sous la responsabilité du comité féminin, rebaptisé « comité de développement » en 1973, elles rejoignent quelque 8 000 enfants, soit le double de ce que l'on attendait. Ce nombre ira sans cesse croissant.

La disparition de l'Opéra du Québec en 1975 incite par ailleurs l'OSQ à monter quelques productions lyriques. Les 17 et 18 février 1976, on présente *Don Pasquale* de Donizetti avec Colette Boky et Pierre Duval, sous la direction de Charles Dumas. Fin juillet 1976, on donne *La Veuve joyeuse* de Franz Lehár, coproduction de l'OSQ et du programme Arts et Culture du Comité organisateur des Jeux olympiques de Montréal. Trois représentations ont lieu à Québec, trois autres à Montréal, à guichets fermés. Mise en scène par Jacques Létourneau et mettant en vedette la soprano Heather Thomson et le ténor André Jobin (fils de Raoul), la production remporte un éclatant succès dans les deux villes. On la considère dans la métropole comme le spectacle de l'été.

## Maestro DePreist à l'œuvre

L'entrée en scène de DePreist est attendue fébrilement : « Il est incontestable, comme l'écrit Marc Samson dans *Le Soleil* en octobre 1976, que James DePreist jouit de la faveur du public. Chacune de ses apparitions précédentes sur la scène du Grand Théâtre en a fait foi. Sa forte personnalité, son charme, la force de caractère qui lui fait surmonter un sérieux handicap physique au point qu'on en vient à l'oublier : autant d'éléments qui se définissent en un seul mot : la présence ».

Pour marquer sa volonté de s'intégrer au milieu culturel québécois, DePreist choisit d'ouvrir sa première saison, en octobre 1976, avec une œuvre d'un compositeur québécois, *Évanescence* d'André Prévost. L'œuvre qui suit, le *Premier concerto* de Tchaïkovski, révèle sa capacité de faire face aux impondérables. En effet, à peine le premier mouvement est-il commencé que le pianiste Horacio Gutiérrez constate qu'une des touches du piano colle obstinément. Il est sur le point de s'arrêter, mais DePreist, se rendant compte du problème, continue de battre la mesure imperturbablement, ne donnant d'autre choix au soliste que de poursuivre. *The show must go on…* Sitôt le concerto terminé, Gutiérrez se lève de son siège et rabat violemment le couvercle de l'instrument auquel il lance un regard furieux. Mais DePreist l'invite à saluer et tout rentre dans l'ordre.

« Jimmy » en pleine action.

Dès sa première saison, DePreist s'emploie à élargir les horizons de l'orchestre. Le 25 janvier 1977, il dirige une exécution historique de la *Première symphonie* de Mahler, compositeur qu'il imposera à l'OSQ. Dès l'accord final, l'auditoire se lève d'un seul bond et applaudit frénétiquement pendant de longues minutes. Quelques jours plus tard, à l'approche du 75e anniversaire, DePreist et ses musiciens enregistrent un disque promotionnel sous étiquette Radio-Canada international.

Lecture sereine...

### Prestige et tiraillements

D'un succès à l'autre, «Jimmy» comme on l'appelle familièrement, commence à faire parler de lui à l'échelle internationale. En mars 1977, il est choisi «Musicien du mois» par la prestigieuse revue *Musical America*. Mais des problèmes internes vont pourtant entamer la popularité du nouveau directeur musical au sein de son équipe. En effet, depuis qu'il occupe ses nouvelles fonctions, DePreist n'arrive pas à s'entendre avec le violon solo, Hidetaro Suzuki. Le nouveau chef lui reproche de manquer d'esprit de collaboration et demande son renvoi au terme de la saison. Dans *Le Soleil*, Marc Samson rapporte qu'un malaise «existait depuis quelques années [...] sans que personne ne prenne une décision pour y mettre un terme». Cette fois, l'administration passe à l'acte. Elle congédie Suzuki et deux autres instrumentistes. Inquiets, les musiciens votent une résolution exigeant que Suzuki soit réintégré dans ses fonctions. Toutefois, quelques jours avant le premier concert de la saison, l'une de leurs principales revendications —l'ajout d'une 29e semaine à leur contrat — est acceptée. La convention collective, alors en négociation, est signée. Le calme revient... mais pas Suzuki.

### L'OSQ à Washington

Le remplaçant de Suzuki est un tout jeune musicien originaire de l'Ouest canadien, Malcolm Lowe, dont le très grand talent le fera vite accepter par ses pairs. Toutefois, le soir de son premier concert, un autre violoniste se fait davantage remarquer. Et pour cause : il s'agit d'Itzhak Perlman qui interprète le *Cinquième concerto* de Vieuxtemps. Ce superbe concert augure très bien pour l'importante saison qui s'ouvre — celle du 75e anniversaire.

## LES TEMPS MODERNES (1975-2002)

L'OSQ en répétition au Kennedy Center de Washington, octobre 1977.

L'un des grands moments de la saison sera sans conteste le concert de l'orchestre à Washington. À l'initiative de DePreist, l'OSQ prend l'affiche le 21 octobre 1977 au Kennedy Center, salle prestigieuse de la capitale américaine. L'orchestre québécois y donne une brillante prestation. À grands renforts de bravos, le public conquis obtient un rappel. La critique se montre fort élogieuse. Parlant de l'événement, Gilles Potvin écrit dans *Le Devoir*: «Les Montréalais pourront bien penser ce qu'ils veulent mais la critique américaine a été beaucoup plus favorable que celle accordée à l'Orchestre symphonique de Montréal à son concert de Carnegie Hall [...] au printemps de 1976».

### Un inoubliable 75e anniversaire

Le 75e anniversaire de l'OSQ sera marqué par la venue de très grands artistes dont, en plus de Perlman, les pianistes Claudio Arrau, Alicia de Larrocha et Philippe Entremont. L'OSQ se dote d'un nouveau logo, lance son premier disque et fait l'objet d'une émission spéciale présentée le 19 février 1978 aux *Beaux Dimanches* à Radio-Canada. L'orchestre relance également son concours pour jeunes solistes, abandonné à la fin des années cinquante. La première édition couronne une violoncelliste de 18 ans, Johanne Perron, qui remporte le premier prix à l'unanimité.

DePreist veut profiter de cet anniversaire pour pousser les limites de ses musiciens au maximum. Les 31 janvier et 1er février 1978, il offre en première audition à Québec une exécution spectaculaire du *Sacre du printemps* de Stravinski, accueillie par un tonnerre d'applaudissements. En fin de saison, il présente la *Deuxième symphonie* de Mahler. Les solistes Colette Boky et Hilda Harris, l'OSQ et le Chœur symphonique y font merveille.

Affichette du marathon
du 21 mars 1978.

Cette même année, DePreist soumet l'idée d'un « marathon musical » selon une formule ayant fait ses preuves aux États-Unis. On arrête la date du mardi 21 mars 1978 pour la première édition. Pour la somme dérisoire de 3 $, le public a droit à une « orgie de musique » ininterrompue de 17 heures à minuit. On peut entrer et sortir à loisir et même manger dans la salle. Malgré un temps peu clément, l'événement remporte un succès retentissant qui incite la direction de l'orchestre à en reprendre la formule dès l'automne suivant.

Le bilan de la saison apparaît comme l'un des plus positifs depuis longtemps, tant sur les plans artistique et financier qu'en termes d'assistance. Le taux moyen de fréquentation atteint 86 %. Au printemps, l'OSQ recueille de nouveaux fruits pour ses efforts. En mai, le Conseil canadien de la musique couronne l'orchestre « Interprète de l'année » et, en juin, la Société des droits d'exécution du Canada lui décerne un premier prix pour « sa contribution à la musique contemporaine et canadienne », distinction qui lui sera régulièrement remise par la suite.

### Un nouvel engouement

En décembre 1978, l'OSQ invite le public à un deuxième marathon. Pour l'occasion, on dispose des estrades sur la scène, derrière l'orchestre. Quelques jours plus tard, DePreist tente une nouvelle expérience en réunissant à l'OSQ les meilleurs éléments des orchestres du conservatoire et de l'École de musique de l'Université Laval pour une exécution « emballante » de la *Première symphonie* de Mahler. En première partie, le jeune chef Gilles Auger, alors étudiant au Conservatoire, se fait remarquer dans la *Symphonie « Inachevée »* de Schubert.

Le marathon attire des publics de tous âges.
Cette photo montre les estrades disposées derrière la scène
pour accueillir un maximum de spectateurs.

La saison 1978-1979 voit également les débuts à l'OSQ du pianiste Louis Lortie, vivement applaudi dans le *Quatrième concerto* de Beethoven, et le retour de Pierre Dervaux. Trois soirées très différentes marquent la fin de cette saison. Le 28 avril, l'OSQ présente un concert de gala avec le violoncelliste Mstislav Rostropovitch, qui interprète le *Concerto en si mineur* de Dvořák. Le 1er mai, DePreist dirige un premier Bruckner à l'OSQ, soit la somptueuse *Septième symphonie*. Enfin, le 30 mai, l'orchestre y va d'un «marathon pop» avec, entre autres, la chanteuse Andrée Bernard qui doit consentir un rappel tout à fait imprévu. Comme le souligne Paul Roux dans *Le Soleil*, ce marathon «aura montré que toutes les musiques peuvent cohabiter, pourvu qu'elles soient bonnes. Ce dont James DePreist, le grand architecte de cette belle soirée, doit se réjouir aujourd'hui».

Un quatrième marathon est présenté le 25 octobre 1979. En début de programme, DePreist paraît un peu essoufflé en entrant sur scène. Il se contente de dire: «Le premier morceau, je le dédie au type qui a synchronisé les feux de circulation du boulevard Laurier»... Dans un même esprit de démocratisation, DePreist invite le trompettiste Dizzy Gillespie à se faire entendre à l'OSQ le 1er mai 1980. Gillespie joue notamment *Night in Tunisia*, *Saint Louis Blues* et *Salt Peanuts*, morceau «réclamé à grands cris par les joyeux lurons du balcon».

Dizzy Gillespie en concert à l'OSQ le 1er mai 1980.

127

### Un chef partagé

À l'automne de 1980, DePreist devient le directeur musical de l'Orchestre symphonique d'Oregon, mais compte continuer à diriger comme avant à Québec. En début de saison, l'orchestre participe à la première de trois tournées annuelles appelées «Concerts Héritage Noranda», du nom de la compagnie minière qui finance la totalité des coûts de ces tournées. L'OSQ se produit tout d'abord à Matagami devant 600 personnes emballées. À la fin de la soirée, DePreist est assailli par des dizaines de chasseurs d'autographes. Le lendemain, 24 septembre, l'orchestre joue à Val-d'Or puis, le 25, à Noranda où DePreist se voit offrir deux balades en camions de pompier — un rêve d'enfance enfin réalisé.

Au cours de la saison 1980-1981, le public aura l'occasion d'entendre des œuvres un peu inhabituelles telles que la *Sinfonia domestica* de Richard Strauss et l'opéra *Le Château de Barbe-Bleue* de Bartók. Donné à l'occasion du centenaire de la naissance du compositeur, l'ouvrage est présenté en version de concert dans la langue originale avec, entre autres solistes, la grande mezzo-soprano Florence Quivar. À la mi-avril 1981, le Chœur symphonique connaît l'un de ses grands moments lors d'une exécution imposante de la *Passion selon saint Matthieu* de Bach, sous la direction de Mario Bernardi. Chantal Masson-Bourque, qui dirige le Chœur symphonique depuis 1970, considère cette œuvre comme l'un des plus grands défis de sa carrière. Elle le relève magnifiquement : l'œuvre est écoutée avec la plus grande ferveur par une assistance émue. D'excellents solistes participent aussi à son interprétation, dont la mezzo-soprano Catherine Robbin qui bouleverse l'assistance dans l'air « Erbarme dich ».

DePreist, en compagnie de son épouse, remercie le chef des pompiers de Noranda pour les balades que celui-ci lui a offertes à travers les rues de la ville.

Après sa deuxième tournée «Concerts Héritage Noranda», qui le conduit en Gaspésie et à Edmundston, l'OSQ amorce sa saison 1981-1982. Les premiers concerts présentent plusieurs têtes d'affiche: Philippe Entremont, chef et pianiste, les violonistes Shlomo Mintz et Henryk Szeryng, ainsi que le violoncelliste Pierre Fournier. D'autres moments marquants jalonnent cette saison, notamment l'enregistrement d'un deuxième disque, *Le Conte de l'oiseau* d'André Prévost, ainsi que les premières exécutions à l'OSQ du *Mandarin merveilleux* de Bartók et de la *Cinquième symphonie* de Mahler. En avril 1982, l'OSQ présente un concert enregistré à Montréal pour l'Union européenne de radiodiffusion (l'UER).

### Besoin de changements

L'année s'achève par une remarquable exécution du *Requiem* de Verdi, donné à la mémoire de Wilfrid Pelletier, décédé le 9 avril. Le lendemain, Marc Samson observe: «DePreist qui s'est montré quelque peu indifférent lors de certains concerts cette saison, avait, cette fois, l'orchestre et les chœurs (préparés par Charles Dumas) bien en main». En dépit de ce succès, comme le souligne Samson, une certaine routine s'est installée à l'orchestre. DePreist en est conscient et il annonce qu'il quittera ses fonctions à l'échéance de son contrat en 1984.

Au cours de la saison suivante, les Québécois ont l'occasion de voir défiler de nombreux chefs: Yoel Levi, José Serebrier, Vladimir Jelinek, Philippe Bender, Pierre Hétu et un certain Simon Streatfeild. Ce dernier se produit le 30 novembre 1982 et fait particulièrement bonne impression dans la *Symphonie nº 10* de Chostakovitch. En plus des chefs invités, des artistes tels que les pianistes Ivan Moravec, Louis Lortie et Jorge Bolet se produisent aussi au cours de cette saison.

Ovation pour DePreist et l'OSQ.

129

« Je ne crois pas aux cris mais à la persuasion. »
– Simon Streatfeild

Une douche froide attend cependant la direction de l'orchestre au printemps de 1983. Constatant que son nom, par un malencontreux oubli, n'apparaît nulle part sur la brochure de la saison 1983-1984, DePreist annonce qu'il démissionne immédiatement. Il se dit bouleversé d'être ainsi traité : « Que ce soit intentionnel ou un oubli monumental et stupide, l'omission en est inexcusable ». Le président de l'OSQ, Henri Grondin, tente de le faire revenir sur sa décision, mais DePreist demeure inflexible. Le 1er mai 1983, il donne son dernier concert à titre de directeur musical. Public et musiciens réservent au chef démissionnaire une ovation triomphale d'une grande charge émotive.

Des démarches sont entreprises auprès de Yoel Levi et Franz Paul Decker pour prendre la succession de DePreist. Mais ni l'un ni l'autre ne peut se libérer à si brève échéance. Fin juin 1983, Simon Streatfeild accepte de prendre la direction de l'orchestre dès l'automne suivant. Dès son embauche, Streatfeild se montre coopératif et annonce son intention d'établir des relations étroites avec l'administration et les musiciens : « Il faut les amener à donner le meilleur d'eux-mêmes et de l'orchestre. Et cela en douceur. Je ne crois pas aux cris mais à la persuasion ». Streatfeild souhaite élire domicile à Québec et profiter de l'année à venir pour parfaire son français.

# SIMON STREATFEILD OU L'EFFICACITÉ DISCRÈTE

La nomination du huitième directeur musical de l'OSQ est rendue publique en juillet 1983. Streatfeild, un Canadien né en Angleterre, a alors 54 ans. C'est un gentleman courtois et discret qui, sans avoir peut-être le charisme de son prédécesseur, se révélera homme d'idées et d'action.

En raison d'autres engagements, Streatfeild ne peut diriger que deux des concerts de la saison 1983-1984. Le public ne perd toutefois pas au change, car il a l'occasion de voir et d'entendre des artistes de haut niveau dont les chefs Yan-Pascal Tortelier, György Lehel, Jean Fournet, Franz Paul Decker, Yoel Levi, Claire Gibault et Judith Somogi (décédée peu après), ainsi que le pianiste Rudolf Firkusny, les violonistes Miriam Fried et Pierre Amoyal, et les violoncellistes Paul Tortelier et Mstislav Rostropovitch. À l'occasion de sa deuxième visite, « Rostro » se voit décerner un doctorat honorifique par l'Université Laval. C'est au cours de cette saison que l'OSQ tente l'aventure d'une série exclusivement consacrée à des concerts populaires (aujourd'hui appelée Week-ends électrisants) dont le succès ne se démentira pas.

En fin d'année, DePreist, désormais chef invité, dirige une inoubliable *Neuvième* de Mahler avec l'OSQ et l'Orchestre des jeunes du Québec. Le dernier concert de série a lieu le 8 mai 1984, jour de la fusillade à l'Assemblée nationale. Sous la direction de Mario Bernardi, André Laplante joue magnifiquement le *Deuxième concerto* de Prokofiev alors qu'en seconde partie le public se voit offrir la *Quatrième symphonie* de Bruckner dont c'est la première exécution à l'orchestre.

À l'occasion du concert du 7 décembre 1983, Mstislav Rostropovitch se voit décerner un doctorat honorifique par l'Université Laval.

Simon Streatfeild et l'OSQ à l'Agora du Vieux-Port
à l'occasion de l'événement Québec 1534-1984.

### Beethoven et Grands voiliers

Profitant de l'événement Québec 1534-1984, l'OSQ met sur pied une généreuse saison d'été, la première depuis 1967. Du 6 au 14 juillet, l'orchestre présente un festival Beethoven au Grand Théâtre, puis, du 16 juillet au 21 août, une série de concerts au Vieux-Port. Avec des artistes tels que Jorge Bolet, Garrick Ohlsson, Miriam Fried et le jeune violoniste Peter Oundjian, le festival Beethoven est un succès artistique sur toute la ligne... mais les salles sont à moitié vides. En revanche, les concerts du Vieux-Port attirent pas moins de 120 000 spectateurs, soit trois fois plus que tous les concerts de la saison 1983-1984 réunis. Avec une programmation aussi populaire que classique et des artistes aussi différents que Michel Legrand, Claude Nougaro, Margie Gillis, Marie Eykel (Passe-Partout) ou Winton Marsalis, cette série suscite l'intérêt de publics extrêmement diversifiés et contribue à rapprocher l'orchestre de la population en général. Les abonnements augmentent donc — et d'autant plus que Streatfeild est désormais seul maître à bord. Son travail est reconnu : pour Marc Samson, le nouveau directeur musical de l'OSQ n'est rien de moins qu'un « bâtisseur d'orchestre ».

### Streatfeild donne sa pleine mesure

Le grand événement de la saison 1984-1985 demeure assurément l'exécution de la *Troisième symphonie* de Mahler, donnée les 11 et 12 décembre 1984 avec la participation de l'Orchestre des jeunes du Québec, du Chœur symphonique, des Petits Chanteurs de la Maîtrise de Québec et de la mezzo-soprano Janice Taylor. Dirigée par Streatfeild, cette première audition de l'œuvre à Québec compte « parmi les plus exceptionnelles réalisations, les plus remarquables réussites des 82 années d'existence de l'Orchestre symphonique de Québec » écrit Marc Samson dans *Le Soleil*. Cette saison marque aussi la dernière apparition de Dervaux au pupitre de l'orchestre, en janvier 1985. Un mois plus tard, l'OSQ est à l'affiche d'une série de l'OSM qui fait dire à Eric McLean de *The Gazette* que « les Québécois peuvent rentrer avec la certitude d'avoir conquis le public montréalais ».

Le volet populaire n'est pas en reste : un concert hors série donné le 23 mars réunit plus de 8 000 personnes au Colisée. Cet « événement musical pop de l'année » permet au public d'entendre, entre autres, Sylvie Tremblay, Fernand Gignac, Sylvain Lelièvre, Martine Saint-Clair et Daniel Lavoie. En fin de programme, ce dernier prend la baguette pour diriger quelques mesures de sa chanson *Tension Attention*.

Au cours de l'été 1985, les musiciens franchissent la frontière américaine pour une quatrième fois. Le 3 août, ils présentent un programme tout Beethoven au Vermont Mozart Festival de Burlington.

### Temps morts, temps forts

En dépit du passage à l'OSQ de très grands artistes, comme la soprano Emma Kirkby, les pianistes Stephan Kovacevich, Aldo Ciccolini et Jean-Philippe Collard ou la jeune violoniste Midori, les ventes d'abonnements de la saison 1985-1986 connaissent un fléchissement inquiétant par rapport aux années précédentes. Un sondage révèle que les anciens abonnés jugent la programmation trop intellectuelle. Dès lors, le comité de musique voit à orienter la saison suivante vers une programmation plus accessible. Entre-temps, toutefois, l'OSQ se lance dans une nouvelle saison d'été, appelée « L'OSQ prend l'air », qui s'étend du 24 juin au 22 juillet 1986. Le concert du 3 juillet marque l'ouverture du Festival d'été avec Gilles Vigneault et souligne la désignation de Québec comme joyau du patrimoine mondial de l'Unesco.

*Tension Attention.* Un moment intense dans la carrière de Daniel Lavoie (23 mars 1985).

Midori, Henryk Szeryng, Michel Legrand, Ivan Moravec, Shura Cherkassky et le chef Thomas Sanderling sont quelques-unes des têtes d'affiche de la saison 1986-1987, tandis qu'un concert pop donné le 6 mars 1987 au Colisée avec Francis Cabrel attire 12 000 spectateurs.

### Symphonique'n roll

Début septembre 1987, après une saison d'été des plus actives, l'OSQ joue dans la rue à l'occasion du Sommet de la francophonie. La saison s'ouvre officiellement le 22 septembre. Elle réserve à ses abonnés une programmation spectaculaire avec la présentation de *La Damnation de Faust* de Berlioz (avec Alain Vanzo dans le rôle-titre) et de la *Turangalîlâ-Symphonie* de Messiaen. Ces œuvres, deux grands rêves de Streatfeild, qui souhaitait les monter depuis plusieurs années, sont portées aux nues par la critique.

Quelques concerts populaires — qui font salle comble — sont à marquer d'une pierre blanche. Le premier met en vedette Ginette Reno qui, les 14 et 15 décembre 1987, donne deux prestations inoubliables sous la direction de Léon Bernier. À la fin du spectacle, la chanteuse vedette est radieuse. Elle a adoré son expérience avec les musiciens : « Soixante-quinze personnes qui mettent autant d'âme et de cœur, ça fait une immensité d'émotion. J'aime ça comme une vraie folle. Je ferais rien que ça ! » Mais c'est le Symphonique'n roll de Diane Dufresne qui aura le plus grand retentissement. Le 25 mars 1988, le Colisée reçoit 12 000 fans venus entendre la diva chanter des airs d'opéra et certains de ses plus grands succès. Apparaissant dans des costumes originaux et extravagants signés Michel Robidas, la chanteuse soulève la foule. Les arrangements de Gilles Ouellet, qui dirige l'OSQ pour l'occasion, sont aussi fort remarqués pour leur originalité et leur efficacité. Spectacle « grandiose, extraordinaire, délirant ! », d'écrire Denise Martel du *Journal de Québec*.

Symphonique'n roll avec Diane Dufresne, sous la direction de Gilles Ouellet, l'un des spectacles populaires les plus marquants de l'histoire de l'OSQ (25 mars 1988).

Boris Brott dirige l'OSQ à l'Agora du Vieux-Port le 29 juin 1988.

## L'étranglement

L'été 1988, l'un des plus chargés de l'histoire de l'orchestre, réserve au public des surprises de toutes sortes. Des invités on ne peut plus «contrastants» participent aux concerts de l'orchestre, dont l'astronaute Marc Garneau, Zamphir, Karen Young, Louis Lortie, les Foubrac, Angèle Dubeau ainsi que la soprano Gwyneth Jones qui chante avec l'orchestre au Festival de Lanaudière. En début de saison, l'OSQ est l'hôte de Charles Trenet. Dirigés par François Dompierre, les deux concerts du «Fou chantant» s'avèrent un désastre financier... simple prélude à une saison ruineuse. Malgré la présence de grands artistes (François-René Duchâble, Paul Badura-Skoda, Ralph Kirshbaum, Rudolf Buchbinder), le public boude l'orchestre qui voit ses prévisions budgétaires bouleversées. Au terme de la saison 1988-1989, le déficit accumulé aura atteint le chiffre astronomique de 1 200 000 $.

Dès l'automne de 1988, la direction entreprend un vaste plan de redressement. Avec l'accord des musiciens, elle supprime tout d'abord la saison d'été, faisant passer le contrat des instrumentistes de 35 à 30 semaines. Puis elle procède à une révision en profondeur de la programmation, qui doit cibler très précisément le public de chaque série. Une restructuration du Chœur symphonique, par ailleurs, conduit à la nomination d'un nouveau directeur musical en la personne de Bernard Labadie. Dans un autre ordre d'idées, l'administration entreprend des démarches auprès du maire de Québec, Jean Pelletier, et de la ministre des Affaires culturelles du Québec, Lise Bacon. Alarmés par la situation de l'orchestre, ils promettent une aide immédiate : «Remplissez vos salles et nous ferons le reste», de garantir le maire Pelletier. À l'été de 1989, des subventions spéciales sont votées pour éponger le déficit. La Communauté urbaine de Québec et le ministère contribuent chacun une somme de 600 000 $ répartis sur trois ans, à la condition expresse que l'OSQ n'enregistre plus de déficit...

## Des résultats probants

Trois nouvelles séries sont désormais offertes, la série Lyrique, pour les amateurs d'art vocal, la série Découverte, dont les concerts sont commentés par le journaliste Bernard Gilbert, et les Concerts Famille. À cela s'ajoutent deux ateliers de musique contemporaine pour familiariser le public à la musique nouvelle. Les résultats sont positifs : le nombre d'abonnés augmente de 14 % par rapport à ce qu'il était en 1988-1989. La saison s'ouvre en beauté par le premier concert de la série Lyrique dont l'artiste invitée est la soprano Renata Scotto. En novembre, un jeune Français remplace au pied levé le chef coréen Chai-Dong Chung. Il s'agit de Pascal Verrot qui remporte un triomphe dans son interprétation enlevée de la *Symphonie n° 104* de Haydn. Cette prestation fait dire à Marc Samson qu'on le « reverrait à la tête de l'OSQ avec plaisir ». Un mois plus tard, l'orchestre court le marathon pour la première fois depuis près de 10 ans. Ce spectacle est animé par les journalistes Renée Hudon et Gaston L'Heureux.

Enfin, le 8 avril 1990, l'OSQ fait une première apparition à Toronto dans le cadre d'une série consacrée aux orchestres prestigieux. L'orchestre a été invité à remplacer l'Orchestre philharmonique de Nice qui a dû annuler sa tournée nord-américaine. Le critique William Littler du *Toronto Star* écrit : « Qu'une ville et ses environs comptant seulement 600 000 habitants soit servie par un orchestre de ce niveau constitue une bonne raison de pavoiser sur les rives du Saint-Laurent ». Marc Samson, qui a aussi assisté à ce concert, fait un compte-rendu élogieux et conclut : « Par les temps qui courent, Québec aurait plus intérêt à miser sur l'OSQ que sur les Nordiques pour mousser sa réputation ! » Un concert d'été va d'ailleurs ajouter au prestige de l'orchestre alors que Streatfeild et l'OSQ accompagnent la jeune Cecilia Bartoli qui fait ses débuts en terre américaine. Dans un programme Mozart et Rossini, présenté le 12 juillet au Festival d'été de Québec, la future méga-star obtient un triomphe éclatant.

La soprano Renata Scotto
reçoit les félicitations du maire de Québec,
Jean Pelletier, un grand ami de l'OSQ.

## La grande crise

Avec des solistes comme Tatiana Troyanos, Shura Cherkassky et Wilhelmenia Fernandez (la diva du film de Jean-Jacques Beinex), la saison 1990-1991 s'annonce brillante. Sur le plan des relations de travail, c'est une tout autre histoire. Car, si la saison précédente s'est avérée un succès de bout en bout, l'orchestre doit encore diminuer ses dépenses pour atteindre l'équilibre budgétaire que lui a imposé le gouvernement. Pour y arriver, la direction décide à contrecœur de sabrer dans la masse salariale. En juin 1990, elle annonce que 17 des 70 instrumentistes ne seront désormais payés que pour les concerts où leurs services seront requis, ce qui représente 15 semaines de travail au lieu de 30. À cette nouvelle, les musiciens protestent vigoureusement. Ils craignent le départ des instrumentistes touchés et pensent que la direction sera tentée de privilégier le répertoire classique (symphonies de Mozart, Beethoven, Schubert) au détriment de la musique proprement symphonique.

Le conflit durera un an. Au cours de l'automne, les musiciens sensibilisent le grand public à leur cause au moyen de manifestations et d'entrevues dans les médias. Ils reçoivent un appui de taille en janvier 1991, alors que Charles Dutoit prend publiquement position pour eux, lors d'une concert de gala réunissant l'OSQ et l'OSM. Ils recevront plus tard le soutien des maires Jean-Paul L'Allier et Andrée Boucher et de diverses personnalités. Mais l'impasse demeure. Au début du concert du 13 mars, les musiciens annoncent une grève symbolique de 15 minutes. Cette « grève » aura été l'unique débrayage de l'histoire de l'OSQ.

Des musiciens déçus quittent les bureaux du ministère des Affaires culturelles où il leur a été impossible de rencontrer Liza Frulla-Hébert. Les musiciens souhaitaient remettre une lettre à la ministre pour qu'elle intervienne dans le conflit les opposant à la direction de l'orchestre (6 février 1991). On reconnaît, à l'avant-plan, Trent Sanheim, Marc Moscovich, Marie Grenon, Évelyne Robitaille et Philippe Magnan.

Quelques jours plus tard, un arbitre est nommé en la personne de Me André Bergeron, avocat de Montréal. Ce dernier rend sa sentence le 12 juin 1991. Celle-ci prévoit que l'OSQ comptera 53 musiciens permanents pour une période de 30 semaines annuellement et 17 à temps partiel avec garantie de 22 semaines de travail pour chacune des deux années à venir. Cette modification rendant ces derniers admissibles à l'assurance chômage, les instrumentistes voient dans cette sentence un « compromis honorable ».

### Et Streatfeild, dans tout ça ?

Durant les premiers mois du conflit, Simon Streatfeild n'intervient pas publiquement. Mais, à la fin de février, il annonce officiellement qu'il se range du côté des musiciens. Cette prise de position va lui coûter son poste. La direction ne lui pardonne pas d'avoir abandonné la neutralité qu'il s'était engagé à respecter. Lors du lancement de la saison 1991-1992, les journalistes constatent que son nom ne figure pas dans la brochure. Cette fois, ce n'est pas un oubli !

Le 27 mai 1991, Streatfeild et la direction émettent un communiqué conjoint annonçant la fin de leur association. Au concert du lendemain, le dernier de la saison, le chef démissionnaire reçoit une chaleureuse ovation en début et en fin de programme. Au terme de la soirée, Streatfeild, très digne, adresse quelques mots au public ému : « Je vous supplie de continuer votre appui à l'OSQ et particulièrement de nourrir une grande fierté et une vision de l'orchestre, parce qu'il est *votre* orchestre. » En guise d'adieu, il dirige le finale de *L'Oiseau de feu* de Stravinski.

L'un des grands mérites de Streatfeild — son legs le plus tangible — aura été, au cours de ses huit ans de direction artistique, d'avoir ouvert à l'OSQ les portes du monde du disque. Au total, six enregistrements très différents portent sa signature. C'est plus qu'aucun autre directeur musical de l'orchestre jusqu'ici.

Ému, Simon Streatfeild salue le public du Grand Théâtre à la fin de son dernier concert comme directeur musical de l'OSQ (28 mai 1991).

# LES GRANDS THÈMES DE PASCAL VERROT

Le conflit terminé, il faut tourner la page et songer à l'avenir. Et, avant toute chose, il faut trouver à cet orchestre un nouveau capitaine. Un nom semble faire l'unanimité, celui du jeune Pascal Verrot, 32 ans, qui a conquis le public lors de chacune de ses apparitions comme chef invité. Assistant de Seiji Ozawa à l'Orchestre symphonique de Boston depuis quatre ans, Verrot se sent prêt à relever de nouveaux défis. C'est donc à point nommé que l'OSQ lui offre son premier poste de directeur musical. Étranger au conflit qui vient tout juste de se terminer, Pascal Verrot veut refaire l'unité de l'orchestre : « L'heure est au travail, à l'imagination et à l'enthousiasme ». Et cela dans le plus grand respect des musiciens : « Je n'ai pas le tempérament d'un dictateur comme certains de nos prestigieux chefs ». D'emblée, Verrot séduit le public. Son physique de jeune premier, son dynamisme et son côté parfois plaisantin font espérer une cure de rajeunissement pour l'OSQ.

Sa première prestation comme directeur musical a lieu le 1er octobre 1991. En montant au podium, il salue son nouveau public : « Bonsoir mesdames, bonsoir messieurs. C'est une circonstance exceptionnelle qui veut que mes débuts comme directeur musical de l'Orchestre symphonique de Québec coïncident avec la Journée internationale de la musique ». Le lendemain, enthousiaste, il confie à la journaliste Andréanne Guay de Radio-Canada : « Le concert d'hier soir s'est formidablement bien passé, l'orchestre a été somptueux et puis le public nous a réservé un accueil très chaleureux ». Malgré un horaire extrêmement chargé, Verrot trouve le moyen de se libérer pour diriger le marathon du 1er mars 1992.

Cette saison 1991-1992 réserve une place de choix à Mozart dont on souligne le bicentenaire de la mort. La série Lyrique s'ouvre avec la présentation en version de concert de *L'Enlèvement au sérail* dirigé par Franz Paul Decker. Puis, au début de décembre, on présente le *Requiem*, dont l'une des exécutions a lieu le 5 décembre,

Un chef jeune et enthousiaste, Pascal Verrot, devient le neuvième directeur musical de l'OSQ.

200 ans jour pour jour après la disparition du compositeur. Le 20 février suivant, on apprend la mort de Pierre Dervaux, qui devait diriger l'OSQ dans le *Stabat Mater* de Rossini le 26 mars. Le chef italien Gianfranco Rivoli est invité à le remplacer.

### Numérologie symphonique

Lors du lancement de la saison 1992-1993, qui coïncide avec le 90e anniversaire de l'OSQ, Pascal Verrot annonce que le thème de la nouvelle année sera celui du chiffre 9 et de ses diviseurs. En effet, tout y concourt : le 90e anniversaire, son rang de 9e directeur de l'orchestre, ses 33 ans, sa date de naissance (le 9 janvier 1959). Ainsi, ce sont les *Symphonies no 9* de Beethoven et de Bruckner qui ouvrent et clôturent la saison, au cours de laquelle on peut aussi entendre les *Neuvièmes* de Chostakovitch et de Schubert, le *Concerto pour piano no 9* de Mozart, les *Symphonies nos 90* et *99* de Haydn, etc.

Une nouvelle série populaire, appelée Têtes d'affiche, est aussi mise sur pied à l'occasion du 90e anniversaire. Consacrée exclusivement à des vedettes de la chanson, elle accueille Laurence Jalbert en décembre 1992 et Michel Rivard en mars 1993. Gilles Ouellet, récemment nommé conseiller musical des concerts populaires, signe les arrangements et dirige l'OSQ en ces deux occasions. C'est également lui qui est à la tête de l'orchestre lors de la réouverture du Théâtre Capitole (maintenant avec le « e » français) le 21 novembre 1992. Pour la circonstance, Ouellet inscrit au programme l'ouverture du *Fétiche* de Joseph Vézina, créé dans cette même salle 80 ans plus tôt. En avril, l'orchestre assure la création de la *Messe sur le monde* de Clermont Pépin, commandée pour le 90e anniversaire. Enfin, à l'instar de nombreuses grandes formations symphoniques, l'OSQ se dote d'un compositeur en résidence, en l'occurrence Denys Bouliane, en fonction dès septembre 1992.

Pascal Verrot et le violoniste Itzhak Perlman, soliste du concert de gala du 28 octobre 1992. À l'occasion de sa deuxième visite à l'OSQ, Perlman donna une interprétation brillante et généreuse du *Concerto pour violon* de Tchaïkovski. Ovationné par le public, Perlman offrit un *Caprice* de Paganini en rappel.

La popularité et l'image de Pascal Verrot contribuent grandement à l'augmentation du nombre d'abonnés. Le taux d'assistance est de 92% en moyenne et plusieurs concerts sont donnés à guichets fermés ce qui, en pleine récession économique, tient de l'exploit. Autant battre le fer pendant qu'il est chaud : Verrot décide d'enregistrer deux disques coup sur coup pour la maison Analekta. Le premier, consacré à Albert Roussel, paraît en mai, tandis que le second, qui fait appel à la soprano Lyne Fortin et qui s'intitule simplement *Noël*, est lancé à l'automne de 1993. Tous deux récoltent des commentaires élogieux et diverses distinctions, au Québec comme à l'étranger. Le disque *Noël* remportera le Félix de l'Album de l'année – musique classique en 1994.

### Russie, paysages virtuels...

Encouragé par le succès de sa première programmation, Pascal Verrot se lance confiant dans «La Grande Aventure» de la saison 1993-1994. La thématique tourne cette fois autour de la musique russe en général et de Tchaïkovski en particulier, dont 1993 marque le centenaire de la mort. Des œuvres de Glinka, Prokofiev, Rimski-Korsakov, Glazounov et Rachmaninov côtoient celles de compositeurs moins connus : Firsova, Taneiev, Cui, Liadov. Parmi les invités vedettes de la saison, on note les noms du violoncelliste Yo-Yo Ma et du pianiste Lazar Berman. Deux grands chefs invités attirent également l'attention, Charles Bruck et Charles Dutoit. Plusieurs artistes québécois, comme chaque année, participent également aux concerts de cette saison, dont Oliver Jones, Angèle Dubeau, Rémi Boucher et Marc-André Hamelin. La musique contemporaine est aussi à l'honneur avec la toute nouvelle série Odyssée, préparée et animée par Denys Bouliane.

Pascal Verrot fait la une du premier numéro du *Voir*, édition de Québec, lancé le 19 mars 1992 par Rémy Charest (à droite), rédacteur en chef du nouveau magazine, en compagnie de son homologue montréalais Jean Barbe.

Le violoncelliste Yo-Yo Ma, soliste du concert de gala
du 30 novembre 1993, signe le Livre d'or de l'OSQ que lui tend
Hélène Hall, adjointe aux communications de l'orchestre.
Parmi les personnalités qui ont signé l'antique document,
signalons Wilfrid Laurier, Adolphe-Basile Routhier, Lomer Gouin,
la princesse Élisabeth, le prince Philippe, Vladimir Golschmann,
Jon Vickers, Raoul Jobin, Pierre Dervaux, Paul Tortellier,
Mstislav Rostropovitch, Paul Badura-Skoda, Rudolf Buchbinder,
Renata Scotto, Mark Zeltzer, Tatiana Troyanos, Wilhelmenia Fernandez,
Franz Paul Decker et plusieurs autres.

Pascal Verrot donne une leçon de direction
aux 35 premiers donateurs de 100 $ du Télémarathon de 1994.

En raison de sa thématique particulière, la saison russe ne donne pas les résultats escomptés au chapitre des abonnements. L'année suivante, avec ses «Paysages virtuels en musique», Pascal Verrot revient à une programmation plus coutumière. Et le nombre des abonnés augmente à nouveau. Le premier concert, enregistré par Radio-Canada dans le cadre des programmes de la Communauté des radios publiques de langue française (CRPLF), sera diffusé en Belgique, en France et en Suisse. La saison connaît plusieurs moments de grâce, notamment le soir du 1er février 1995 alors que l'orchestre reçoit la percussionniste sourde Evelyn Glennie qui donne une prestation époustouflante. Jouant pieds nus, seule manière pour elle de percevoir l'orchestre, elle est aussi inspirée musicalement qu'éblouissante techniquement. Un mois plus tard, Cecilia Bartoli remporte un second triomphe avec des airs de haute virtuosité du répertoire bel canto. La saison met aussi le chœur symphonique à forte contribution, en particulier les voix de femmes, qui participent à l'exécution de la *Troisième symphonie* de Mahler et des *Planètes* de Holst, en plus des deux grandes œuvres chorales mixtes, le *Requiem allemand* de Brahms et les *Saisons* de Haydn. Au cours de l'été, l'orchestre accompagne la soprano Wilhelmenia Fernandez au Festival de Lanaudière. Le critique Claude Gingras dans *La Presse* descend la soprano («Wilhelmenia toujours aussi médiocre»), mais fait l'éloge de l'OSQ et de Pascal Verrot qui «fait sonner cet orchestre admirablement».

### Légendes, étoiles...

Placée sous le thème des «Plus Belles Musiques imaginaires» et sous-titrée «De légendes en légendes», la saison 1995-1996 s'inspire de la musique à programme ou, du moins, d'œuvres portant des titres spécifiques: *Concerto «Empereur»*, *Harold en Italie*, *Roméo et Juliette*, *Ouverture Manfred*, *Le Tricorne*... Quelques jours après le premier concert de la nouvelle saison, au cours duquel Emanuel Ax interprète le *Concerto «Empereur»* de Beethoven, l'OSQ présente son concert de gala. L'artiste invité, le baryton

José van Dam, enthousiasme public et critiques. Dans *Le Soleil*, Marc Samson dit de lui :
« Il est de ces artistes peu nombreux, musiciens, peintres ou comédiens, dont l'art va droit
au cœur et à l'esprit, vous empoigne, vous émeut ».

Lors du Carnaval de 1996, l'orchestre présente une superbe production de *L'Oiseau de
feu* de Stravinski avec la collaboration du Théâtre de Zef et ses marionnettes géantes.
Pour l'occasion, certains musiciens — dont Pascal Verrot — apparaissent costumés.
Quelques jours plus tard, le même Pascal Verrot annonce qu'il fera ses adieux à
l'OSQ en 1998. En conférence de presse, il explique : « J'ai une famille, trois
enfants, j'aimerais avoir un peu plus la possibilité de m'y consacrer ». Et il ajoute :
« J'ai récemment dû refuser deux ou trois offres pour diriger à l'opéra et je ne veux
pas fermer la porte à cette dimension de ma carrière ». Il souhaite donc retrouver
une liberté dont le privent ses fonctions de directeur musical.

Cela ne l'empêche pas de diriger la plupart des concerts de la saison suivante,
« L'Année des étoiles ». Ces étoiles, ce sont entre autres André Laplante, François
Rabbath, Marc-André Hamelin, Shauna Rolston, André-Michel Schub, les chefs
Yutaka Sado, Thomas Sanderling, Skitch Henderson et Simon Streatfeild, qui
retrouve ses anciens musiciens pour la première fois depuis son départ en 1991.

### L'année des chefs

Pour assurer la succession de Pascal Verrot, l'OSQ choisit de mettre à contribution
et les musiciens et le public à l'occasion de la saison 1997-1998, dite « L'Année des
chefs ». La direction artistique de l'orchestre est partagée entre Pascal Verrot et Kees
Bakels qui agit à titre de conseiller artistique et de premier chef invité. Sept postu-
lants sont appelés à diriger chacun au moins deux concerts de la saison. Il s'agit en
l'occurrence de Jacques Lacombe, Christof Perick, Vakhtang Jordania, Grant Llewellyn,

Un singulier combat des chefs :
Pascal Verrot portant la toque de cuisinier
et Jean Soulard tenant la baguette,
sous l'œil amusé de la violoniste
Eline Brock-Sanheim lors du marathon de février 1995.

Lancement du festival Musiques au présent.
La corniste Julie-Anne Ferland-Drolet
et les deux directeurs artistiques du festival,
Walter Boudreau (en haut) et Denys Bouliane.

János Fürst, Lawrence-Leighton Smith et Yoav Talmi. À la fin de chaque programme, le public est invité à donner son appréciation en déposant son billet dans une des trois boîtes correspondant à son choix («un peu», «beaucoup», «passionnément»). Le suspens durera toute l'année. Une année qui comporte de grands moments, par ailleurs, dont le concert de gala du 2 avril 1998, avec la soprano italo-américaine Aprile Millo, n'est pas le moindre. Vedette du Met de New York, la soprano trouve d'abord le public un peu tiède et s'en ouvre à Pascal Verrot. Ce dernier, dont c'est le concert d'adieu à l'OSQ, tente de redresser la situation: «Madame Millo est une artiste généreuse. Plus vous lui donnerez, plus vous recevrez». Comprenant le message, le public joue si bien le jeu qu'Aprile Millo se surpasse et consent même à chanter l'air suicidaire de *La Wally* de Catalani qu'elle avait d'abord retiré du programme. La soirée se termine en apothéose. Pascal Verrot peut partir la tête haute.

Un mois plus tard, l'OSQ lance la première édition du festival Musiques au présent. Placé sous la coordination artistique de Denys Bouliane et de Walter Boudreau, l'événement se tient du 6 au 9 mai 1998 et permet d'entendre des formations diversifiées allant du jazz à la musique électroacoustique en passant par la musique de Frank Zappa et le style fusion. Son grand succès et l'originalité de sa formule vaudront à ce festival d'être reconduit jusqu'en l'an 2000. En décembre 1999, le Conseil québécois de la musique décernera deux prix Opus à l'OSQ pour le concert Des voyages et des mémoires présenté le 5 juin précédent lors de la deuxième édition du festival.

# YOAV TALMI, UN CHEF POUR LE CENTENAIRE

Yoav Talmi dans un moment de détente sur la terrasse Dufferin.

Au début de l'été de 1998, les jeux sont faits. Le 3 juillet, l'OSQ annonce officiellement la nomination de son dixième directeur musical, Yoav Talmi, qui s'est s'imposé à la fois par son tempérament artistique et sa grande rigueur. Nommé deux mois à peine avant l'ouverture de la saison 1998-1999, il n'est disponible que pour les deux premiers programmes de l'année. Kees Bakels continue donc d'assurer l'intérim. Des concerts de haut niveau attendent les abonnés durant cette saison transitoire, dont une intégrale des concertos pour piano de Rachmaninov. André Laplante remporte un triomphe dans le fameux *Rach 3*, rendu célèbre par le film *Shine* de Scott Hicks.

Sitôt sa nomination confirmée, Talmi annonce quelques-unes de ses priorités. Il affirme vouloir démythifier la musique classique et souhaite que le public de Québec se réapproprie son orchestre. Pour ce faire, il relance les saisons estivales ainsi que les Concerts Famille, assortis désormais d'un atelier appelé « zoo musical » où les enfants peuvent essayer différents instruments. Il remet également sur pied les concerts réunissant les orchestres des étudiants du Conservatoire et de la Faculté de musique de l'Université Laval à l'OSQ. Il n'hésite pas à faire sortir l'orchestre pour le diriger dans des lieux publics (centres commerciaux, Université Laval, etc.). Le nouveau chef précise par ailleurs l'orientation des soirées populaires qui sont dédoublées et présentées la fin de semaine. Il souhaite en outre augmenter le nombre de musiciens pour faire de l'OSQ « un orchestre prédominant à l'échelle de l'Amérique du Nord ». Dans cette perspective, il compte tout particulièrement développer le volet discographique de l'OSQ.

## Brillante fin de siècle

En juillet, sous la direction de Yoav Talmi, l'orchestre se produit dans *Le Songe d'une nuit d'été* de Mendelssohn en collaboration avec le Théâtre du Trident. Ce spectacle, qui s'inspire évidemment de la pièce de Shakespeare, est donné au Festival d'été de Québec ainsi qu'au Festival international de Lanaudière.

Au cours de la saison qui suit, on note le retour de James DePreist, qui inaugure la saison 2000-2001, celui de Diane Dufresne en janvier 2001, dont le spectacle Couleurs symphoniques, dirigé par Gilles Ouellet, connaît un tel succès qu'il est repris au Centre Molson de Montréal un mois plus tard, et la participation de l'OSQ au Sommet des Amériques en avril 2001. Le concert inaugural de la saison 2001-2002 constitue également un moment émouvant alors qu'en début de programme les musiciens, arborant un ruban blanc en signe de deuil, rendent hommage aux victimes des attentats meurtriers contre le World Trade Center et le Pentagone en exécutant le bouleversant *Adagio pour cordes* de Samuel Barber.

Depuis sa nomination, Yoav Talmi a donné une nouvelle impulsion à l'orchestre. Ses cycles Mahler et Bruckner, un cycle consacré aux grands requiem (Fauré, Verdi, Mozart, Brahms), sa série Beethoven, ses deux disques, dont le *Concert français* avec le violoniste James Ehnes encensé par la critique internationale, ses concerts-événements (soirée Copland, marathon Mozart), son brillant *Carmina Burana*, présenté à Québec et au Festival de Lanaudière à l'été 2001 et dont la diffusion à la télévision a remporté un prix Gémeau, la sortie remarquée de l'OSQ à Ottawa en janvier 2002 sont autant de réussites qui ouvrent magistralement les portes du nouveau siècle à l'orchestre. Yoav Talmi souhaite que les publics de demain redécouvrent la chaleur du concert en salle, en partie occultée par deux décennies de cocooning et par la perfection du disque compact ou du DVD. Rien ne remplacera jamais l'engagement et l'énergie des musiciens au concert, non plus que l'urgence, le caractère électrifiant et la magie du contact direct avec la musique vivante. Cette approche semble la bonne puisque, depuis la nomination de Yoav Talmi, on observe une hausse marquée de la fréquentation aux concerts de l'OSQ.

Richard Verreau, en Paillasse, dans un émouvant hommage à Raoul Jobin lors de l'événement bénéfice On s'éclate à l'OSQ en novembre 2000.

# VERS UN NOUVEAU SIÈCLE...

L'Orchestre symphonique de Québec a 100 ans — une première au Canada. Le bilan que dresse imparfaitement cet ouvrage montre la place stratégique qu'il a occupée pendant toutes ces années comme moteur de l'activité musicale à Québec. Sa longévité est la conséquence d'un engagement ferme et tenace, un engagement tentaculaire, pour ainsi dire, qui s'est traduit par une participation active à la plupart des grands moments de la vie sociale et culturelle de la capitale et par une volonté constante de joindre tous les types de publics. Par ses programmes classiques et populaires, par sa mission éducative, qui se manifeste tant par le soin accordé aux matinées pour les enfants et aux Concerts Famille que par la diffusion et la création de musique nouvelle, l'OSQ a toujours voulu projeter l'image d'une institution démocratique ouverte à tous.

Un siècle de symphonie, ça ne s'est évidemment pas fait tout seul! Le désinté-ressement d'une multitude de gens a été essentiel, en particulier le dévouement et l'enthousiasme de plusieurs centaines de bénévoles qui ont donné le meilleur d'eux-mêmes à une cause à laquelle ils croyaient et croient toujours fermement. L'OSQ n'aurait pas tenu si longtemps sans l'appui indéfectible de ses comités de bénévoles, depuis le modeste comité de citoyens des débuts jusqu'aux comités solidement structurés d'aujourd'hui. Tous ont contribué, le plus souvent dans l'ombre, mais toujours avec une éloquente efficacité, à son bon fonction-nement. Cet ouvrage ne pouvait passer sous silence le travail incommensurable de ces personnes animées d'un grand idéal.

Le marathon Mozart, en costumes d'époque (septembre 2001).

Jing Wang, virtuose de 15 ans,
dans le *Concerto en la mineur* de Vieuxtemps
le 10 janvier 2001.

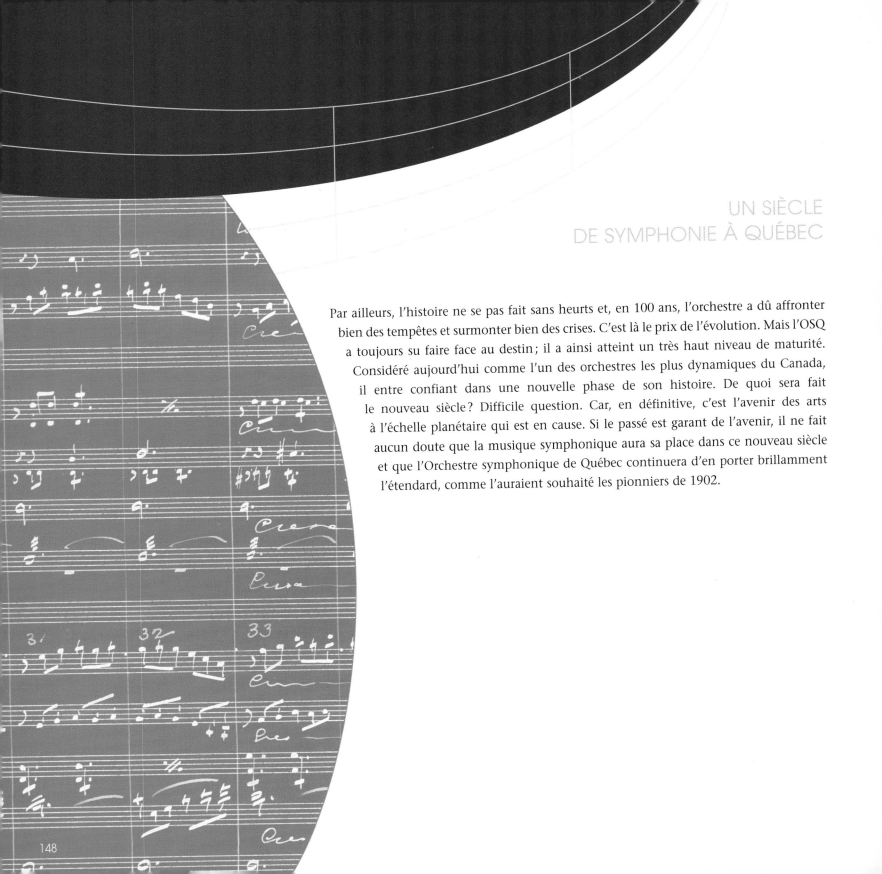

Par ailleurs, l'histoire ne se pas fait sans heurts et, en 100 ans, l'orchestre a dû affronter bien des tempêtes et surmonter bien des crises. C'est là le prix de l'évolution. Mais l'OSQ a toujours su faire face au destin; il a ainsi atteint un très haut niveau de maturité. Considéré aujourd'hui comme l'un des orchestres les plus dynamiques du Canada, il entre confiant dans une nouvelle phase de son histoire. De quoi sera fait le nouveau siècle? Difficile question. Car, en définitive, c'est l'avenir des arts à l'échelle planétaire qui est en cause. Si le passé est garant de l'avenir, il ne fait aucun doute que la musique symphonique aura sa place dans ce nouveau siècle et que l'Orchestre symphonique de Québec continuera d'en porter brillamment l'étendard, comme l'auraient souhaité les pionniers de 1902.

Au Zoo musical, le timbalier François Aubin prépare le public du siècle à venir…

# GLANURES MUSICALES...

- 1976 : (10 octobre) récital de la soprano Jessye Norman ; elle reviendra trois fois à Québec (Club musical).

- 1977 : fondation du Trio Nouvelle-France, devenu par la suite l'Ensemble Nouvelle-France, spécialisé en musique ancienne du Québec.

- 1978 : fondation de l'Ensemble Anonymus, formation spécialisée en musique médiévale, et de l'Association de musique actuelle de Québec (AMAQ).

- 1983 : (13 mars) récital du pianiste Krystian Zimerman au Club musical, devenu depuis un des favoris du public québécois.

- 1983 : première édition du festival Musique de chambre à Sainte-Pétronille.

- 1984 : fondation des Violons du Roy, orchestre de chambre spécialisé dans le répertoire baroque. L'orchestre est mis sur pied par Bernard Labadie, alors âgé de 21 ans.

- 1985 : (mai) débuts de l'Opéra de Québec fondé un an plus tôt ; première production : *Madama Butterfly* de Puccini.

- 1987 : (17 mai) Yehudi Menuhin se produit avec la Camerata Lysy Gstaad.

- 1989 : (11 mars) l'Academy of Ancient Music, direction Christopher Hogwood, avec les sopranos Lynne Dawson et Emma Kirkby, le haute-contre James Bowman et la basse David Thomas donnent *Orlando* de Haendel (Club musical).

- 1989 : (18 avril) Sergiu Celibidache dirige l'Orchestre philharmonique de Munich au Grand Théâtre à l'occasion d'une tournée en Amérique du Nord.

- 1990 : (23 février) le Quatuor Alban-Berg au Club musical.

- 1990 : (29 mars) Pinchas Zukerman donne un récital au Château Frontenac au bénéfice de l'OSQ.

- 1991 : (25 mai) Pierre Boulez dirige l'Ensemble InterContemporain au Grand Théâtre.

- 1992 : (15 juillet) première canadienne du *Liverpool Oratorio* de Paul McCartney au Festival d'été.

- 1993 : (20 janvier) récital du violoniste Gil Shaham au Club musical.

- 1995 : fondation de l'Ensemble vent et percussion du Québec (EVPQ), dirigé par René Joly.

- 1996 : (14 novembre) les Arts florissants, direction William Christie, présentent *Acis and Galatea* au Grand Théâtre (Club musical).

- 1997 : mise sur pied du Festival de musique sacrée de Saint-Roch.

- 1997 : (20 novembre) le baryton Bryn Terfel en récital au Club musical.

- 2000 : première édition du Festival Bach.

- 2001 : (27 novembre) récital du haute-contre Andreas Scholl au Palais Montcalm (série Classique & Compagnie).

- 2002 : (12 juillet) The Hilliard Ensemble clôture le volet classique du Festival d'été à l'église Saint-Roch.

## Directeurs musicaux

| | |
|---|---|
| 1902-1924 : | Joseph Vézina |
| 1924-1942 : | Robert Talbot |
| 1942-1951 : | Edwin Bélanger |
| 1951-1966 : | Wilfrid Pelletier |
| 1966-1968 : | Françoys Bernier |
| 1968-1975 : | Pierre Dervaux |
| 1976-1983 : | James DePreist |
| 1983-1991 : | Simon Streatfeild |
| 1991-1998 : | Pascal Verrot |
| Depuis 1998 : | Yoav Talmi |

## Violons solos

| | |
|---|---|
| 1902-1903 : | Wilfrid Edge (non officiel) |
| 1903-1934 : | Alexandre Gilbert |
| 1934-1936 : | Alphonse Saint-Hilaire |
| 1936-1937 : | Antoine Montreuil (intérim) |
| 1937-1938 : | Jules Payment (intérim) |
| 1938-1960 : | Gilbert Darisse |
| 1960-1963 : | Stuart Fastofski |
| 1963 : | Jean-Louis Rousseau (intérim) |
| 1963-1976 : | Hidetaro Suzuki |
| 1976-1983 : | Malcolm Lowe |
| 1983-1986 : | Liliane Garnier-Le Sage |
| 1986-1987 : | Jean Angers (intérim) |
| Depuis 1987 : | Darren Lowe |

## Présidents

| | |
|---|---|
| 1902-1903 : | Léonidas Dumas (président fondateur) |
| 1903-1906 : | Alexandre Gilbert |
| 1906-1908 : | Arthur Lavigne |
| 1908-1911 : | W. T. Davies |
| 1911-1912 : | Joseph Vézina |
| 1912-1913 : | Alexandre Gilbert |
| 1913-1919 : | Dr Paul Livernois |
| 1919-1921 : | Albert Nicole |
| 1921-1926 : | Paul Robitaille |
| 1926-1929 : | Raoul Vézina |
| 1929-1932 : | Émile Drolet |
| 1932-1934 : | Alphonse Bouchard |
| 1934-1936 : | Léandre Savard |
| 1936-1939 : | Raoul Vézina |
| 1939-1948 : | Juge Thomas Tremblay |
| 1948-1951 : | Raymond Cossette |
| 1951-1953 : | Donat Demers |
| 1953-1958 : | René Blanchet |
| 1958-1959 : | Dr Charles Laflamme |
| 1959-1961 : | Pierre Côté |
| 1961-1963 : | Isidore-C. Pollack |
| 1963-1967 : | Wilbrod Bhérer |
| 1967-1970 : | Aimé Déry |
| 1970 : | Jean-Marie Poitras |
| 1970-1971 : | Dr Charles Martin |
| 1971-1972 : | Paul-A. Chaput |
| 1972-1973 : | Jean Grenier |
| 1973-1976 : | Paul-A. Côté |
| 1976-1977 : | Jacques Dionne |
| 1977-1979 : | Gilles Moisan |
| 1979-1983 : | Henri Grondin |
| 1983-1985 : | Jacqueline Boutet |
| 1985-1989 : | Guy Boulanger |
| 1989-1991 : | Robert Normand |
| 1991-1993 : | François Couture |
| 1993-2000 : | Gilles Marcotte |
| 2000-2001 : | Pierre Genest |
| depuis 2001 : | Michel Sanschagrin |

## Directeurs généraux

| | |
|---|---|
| 1942-1947 : | Paul-Eugène Jobin (administrateur-gérant) |
| 1947-1960 : | Albert-P. Tanguay (administrateur-gérant) |
| 1960 : | Louis-Georges Julien (administrateur-gérant) |
| 1960-1968 : | Françoys Bernier |
| 1968-1983 : | François Magnan (secrétaire général de 1968 à 1972) |
| 1983-1985 : | Noël Vallerand |
| 1985-1986 : | Pierre Cazalis |
| 1986-1987 : | Michel Rodrigue |
| 1987-1988 : | Gaston Brown |
| 1988-1995 : | Louise Laplante |
| 1995-2002 : | Gilles Moisan |

# PRINCIPAUX CHEFS ET SOLISTES INVITÉS[1]

(L'ANNÉE INDIQUE LA DATE DE LA PREMIÈRE APPARITION DE L'ARTISTE ;
LES NOMS RESPECTENT L'ORTHOGRAPHE DES PROGRAMMES DE L'ORCHESTRE)

## Chefs d'orchestre

Alsop, Marin (1993)
Antonioli, Jean-François [aussi pianiste] (1996)
Armenian, Raffi (1974)
Atlas, Dalia (1979)
Auger, Gilles (1979)
Avison, John (1966)
Bakels, Kees (1977)
Bardon, Claude (1985)
Barzin, Léon (1963)
Beaudet, Jean [aussi pianiste] (1940)
Beaudry, Jacques (1958)
Bender, Philippe (1982)
Bernardi, Mario (1973)
Bernier, Léon [aussi pianiste] (1970)
Blackburn, Maurice (1941)
Boreyko, Andrey (1999)
Boudreau, Walter (1995)
Bouliane, Denys (1995)
Brott, Alexander (1948)
Brott, Boris (1971)
Bruck, Charles (1968)
Cambreling, Sylvain (1992)
Casadesus, Jean-Claude (1969)
Celibidache, Sergiu (1966)
Cervera, José Maria (1982)
Chabrun, Daniel (1968)
Chmura, Gabriel (1988)
Chotem, Neil [aussi pianiste] (1972)
Colomer, Edmon (2001)
Comet, Catherine (1990)
Conta, Vladimir (1995)
Coppola, Carmine (1985)
Dankworth, John (1997)
Decker, Franz Paul (1975)
Defauw, Désiré (1941)
DePreist, James (1973)
Dervaux, Pierre (1964)
Deslauriers, Jean (1974)
Dessaint, Raymond (1967)
Dickson, Harry Ellis (1988)
Dompierre, François (1986)
Dunner, Leslie (1999)
Duschênes, Mario (1969)
Dutoit, Charles (1975)
Edwards, Iwan (2000)
Entremont, Philippe [aussi pianiste] (1981)
Faletta, JoAnn (1998)
Farberman, Harold (1976)
Feldbrill, Victor (1961)
Feldman, Ronald (1994)
Foss, Lukas (1971)
Fournet, Jean (1983)
Fürst, János (1998)
Gamba, Piero (1983)
Gendille, José-André (1987)
Gibault, Claire (1984)

Golschmann, Vladimir (1962)
Grossman, Agnès (1990)
Guidarini, Marco (1998)
Guschlbauer, Theodor (1995)
Hart-Bedoya, Miguel (1995)
Henderson, Skitch (1997)
Hétu, Pierre (1969)
Hoenich, Richard (1990)
Houdret, Charles (1962)
Houtmann, Jacques (1979)
Inouye, Derrick (1994)
Iseler, Elmer (1989)
Jarre, Maurice (1974)
Jelinek, Vladimir (1983)
Joly, Réal (1954)
Joo, Arpad (1983)
Jordania, Vakhtang (1997)
Jutras, André (1990)
Labadie, Bernard (1990)
Lacharité, Sylvio (1954)
Lacombe, Jacques (1993)
Laforest, Stéphane (1999)
Landry, Jean-Yves (1961)
Laredo, Jaime [aussi violoniste] (2002)
Le Conte, Pierre-Michel (1975)
Leduc, Roland (1960)
Legrand, Michel (1984)
Lehel, György (1983)
Létourneau, Claude (1949)
Levy, Yoel (1982)
Lipton, Daniel (1991)
Llewellyn, Grant (1995)
Macéro, Téo [aussi saxophoniste] (1984)
MacMillan, Ernest (1947)
Mannino, Franco (1972)
Marsymiuk, Jerzy (1999)
Mayer, Uri (1982)
Mazzoleni, Ettore (1949)
McCoppin, Peter (1989)
Michniewski, Wojciech (1988)
Mizerit, Klaro (1975)
Moisan, André (2001)
Monteux, Pierre (1962)
Morel, Jean (1960)
Mueller, Otto-Werner (1962)
Nowak, Grzegorz (1990)
Ostrovsky, Avi (1994)
Ouellet, Gilles (1985)
Parisotto, Marco (1999)
Pehlivanian, George (1999)
Pelletier, Wilfrid (1942)
Pépin, Clermont (1939)
Perick, Christof (1997)
Pernoo, Jacques (1967)
Perrault, Michel (1971)
Plasson, Michel (1977)
Pommier, Jean-Bernard (1991)

Priestman, Brian (1977)
Puhl, Victor (1995)
Quattrocchi, Fernand (1974)
Quintanar, Hector (1997)
Rich, Martin (1974)
Richard, Jacqueline (1974)
Rist, Xavier (1994)
Rivoli, Gianfranco (1992)
Rossberg, Dieter (1990)
Rudolf, Max (1979)
Sachs, Harvey (1984)
Sado, Yutaka (1997)
Salomon, Doron (2002)
Sanderling, Stefan (2001)
Sanderling, Thomas (1987)
Schwieger, Hans (1965)
Seaman, Christopher (2000)
Segal, Uriel (2001)
Seibel, Klaus Peter (1999)
Serebrier, José (1983)
Sidlin, Murry (1979)
Silverstein, Joseph [aussi violoniste] (1990)
Smith, Lawrence Leighton (1981)
Somogi, Judith (1984)
Soudant, Hubert (1985)
Stark, Ethel (1950)
Stratta, Ettore (1982)
Streatfeild, Simon (1982)
Süsskind, Walter (1969)
Suzan, Maurice (1976)
Swift, Daniel (1992)
Tabachnik, Michel (1986)
Talmi, Yoav (1998)
Tortelier, Yan-Pascal (1983)
Tovey, Bramwell (1996)
Turnovsky, Martin (1976)
Vaillancourt, Lorraine (1994)
Valdès, Maximiano (1989)
Vallerand, Jean (1945)
Van Remoortel, Edouard (1976)
Vekshtein, Semyon (1992)
Vermel, Paul (1970)
Vernon, Timothy (1995)
Verrot, Pascal (1989)
Wilson, Dorian (1998)
Wilson, Keri-Lynn (2002)

## Chant

(à l'exclusion des opéras non produits par l'OSQ)

### Soprano

Alarie, Pierrette (1946)
Argenta, Nancy (1987)
Attrot, Ingrid (1990)
Baldwin, Marcia (1977)
Balkan, Glenda (1984)
Bampton, Rose (1950)
Beaupré, Doris (1943)
Bender, Sophie (1903)

Boky, Colette (1967)
Boucher, Michèle (1980)
Bower, Beverley (1963)
Bowman, Beatrice (1913)
Brett, Kathleen (1990)
Brown, Donna (2002)
Brown, Maureen (1990)
Carette-Tardif, Alice (1930)
Carter, Juanita (1944)
Casault, Henriette (1905)
Choquette, Natalie (1995)
Chornodolska, Anna (1972)
Côté, Claudine (1990)
Crespin, Régine (1964)
Curtin, Phyllis (1978)
Daveluy, Marie (1965)
Debliqui, Marie-Thérèse (1969)
Delaney, Ursula (1922)
Delisle, Violette (1936)
Denya, Marcelle (1942)
de Pasquali, Bernice (1908)
Dion, France (1958)
Dion, Rolande (1943)
Dulude, Yolande (1957)
Duplessis, Ginette (1969)
Dussault, Céline (1976)
Dusseau, Jeanne (1932)
Endich, Saramae (1965)
Fafard-Drolet, Adine (1904)
Farley, Carole (1976)
Fernandez, Wilhelmenia (1991)
Forgues, Josée (1947)
Fortin, Hélène (1987)
Fortin, Lyne (1986)
Gabora, Gaelyne (1967)
Galvani, Marisa (1975)
Gauvin, Karina (1993)
Gervais, Emma (1905)
Giguère, Angélina (1904)
Girard, Guylaine (1998)
Godbout, Marie-Anne (1903)
Graham, Sandra (1989)
Green, Ruby (1911)
Guérin, Lise (1985)
Hallstein, Ingeborg (1975)
Hensley, Bonnie (1984)
Hinkle, Florence (1911)
Holliday, Melanie (1990)
Hudson, Caroline (1908)
Husaruk, Yolande (1979)
James, Eleanor (1987)
Jobin, Thérèse (1933)
Johnson, Katherine (1990)
Jones, Gwyneth (1988)
Keleher, Gertrude (1916)
Kirkby, Emma (1985)
Kolomyjec, Joanne (1997)

1. Productions de l'OSQ uniquement, à l'exclusion des matinées symphoniques et de certains concerts hors série. Cette liste n'inclut pas les solistes de sections de l'orchestre.

152

Kutan, Aline (2000)
Labelle, Dominique (2001)
Lacasse, Hélène (1988)
Lagarde-Lesage, Corinne (1935)
Landry, Rosemarie (1981)
Lapointe, Marthe (1932)
Lavergne, Marguerite (1954)
Lebrun, Louise (1971)
Le Cavalier, Louise (1978)
Lespérance, Jacqueline (1989)
Létourneau, Aline (1963)
Létourneau, Marthe (1963)
Lindsay, Claudia (1977)
Maconda, Charlotte (1907)
Maheux, Renée (1959)
Marsh, Lois (1977)
Marshall, Lois (1961)
Martel, Jacqueline (1970)
Meier, Johanna (1967)
Millett, Eileen (1903)
Millo, Aprile (1998)
Morais, Nathalie (1996)
Müller, Elizabeth (1994)
Nicosia, Judith (1982)
Olaker, Charlae (1991)
Ormsby, Louise (1909)
Pagé, Monique (2000)
Parent, Marie-Danielle (1982)
Parent, Yolande (1990)
Patenaude, Joan (1970)
Perreault, Geneviève (1968)
Peters, Roberta (1971)
Pilon, Danièle (1983)
Pollet, Françoise (1992)
Rainville, Simone (1950)
Reed, Mme LeGrand (1907)
Riel, Christiane (1999)
Saurette, Sylvia (1971)
Schellenberg, Henriette (1993)
Schmithüsen, Ingrid (1994)
Schneider, Marie-Anne (1957)
Scotto, Renata (1989)
Showalter, Edna Blanche (1910)
Shuttleworth, Barbara (1976)
Stahlman, Sylvia (1956)
Stein, Caroline (1991)
Tessier, Micheline (1963)
Thomson, Heather (1976)
Vachon, Luce (1994)
Vaillancourt, Pauline (1983)
Valkki, Anita (1967)
Von Reichenbach, Susan (1996)
Whalen, Laura (1999)
Welhasch Baerg, Irena (1995)
Wright, Mme Austin (1929)
Yarick, Doris (1963)

**Mezzo-soprano**
Bartoli, Cecilia (1990)
Beaupré, Odette (1990)
Cardinal, Réjane (1963)
Carlson, Claudine (1977)
Demers, Danielle (1976)
De Sales, Rina (1915)
Duval, France (1997)
Flibotte, Simone (1946)
Gagnon, Adine (1912)
Gauthier, Éva (1906)
Graham, Sandra (1986)
Harris, Hilda (1978)
Jalbert, Madeleine (1996)
Johnson, Camellia (1992)
Krause, Anita (1999)
Laferrière, Marie (1986)
Lapointe, Renée (1992)
Lavigne, Gabrielle (1971)
Leblanc, Danièle (1999)
Lemelin, Christine (1983)
Loeb, Diane (1989)
Malafronte, Judith (1993)
Ouellet, Claude (1963)
Paounova, Maria (1973)
Paquet, Marguerite (1938)
Parent, Denyse (1956)
Perret, Stéphanie (1916)
Poitras, Patricia (1949)
Popescu, Maria (1996)
Prata, Gabrielle (1990)
Racine, Sonia (1988)
Robbin, Catherine (1981)
Quivar, Florence (1981)
Sévigny, Catherine (1991)
Sotskaïa, Lilia (1995)
Stilwell, Jean (1989)
Stubbs, Janet (1988)
Sutton, Michelle (2002)
Toulon, Brigitte (1984)
Tourangeau, Huguette (1969)
Troyanos, Tatiana (1990)
Turnbull, Elizabeth (1997)
Van Nes, Jard (1992)
Vézina, Léontine (1902)
Wolff, Beverley (1966)

**Contralto**
Bisson-Poisson, Gabrielle (1933)
Brown, Dora (1913)
Chiocchio, Fernande (1965)
Clarke Holland, Maude (1913)
Forrester, Maureen (1973)
Fraser, Beatrice (1911)
Gauthier, Ernestine (1910)
Glaz, Herta (1946)
Hall, Muriel (1951)
Klimoska, Donna (1983)

Kopleff, Florence (1961)
Lakin, Alice (1909)
Lemieux, Marie-Nicole (2002)
Malenfant, Anna (1941)
Ormond, Lilla (1908)
Pylko, Taddea (1971)
Taschereau, Lucie (1906)
Taylor, Janice (1974)

**Haute-contre**
Fast, Allan (1984)
Taylor, Daniel (1994)

**Ténor**
Astor, David (1974)
Balzer, Colin (2002)
Bélanger, Guy (1986)
Bilodeau, Léonard (1969)
Boutet, Benoît (1987)
Boutet, Pierre (1952)
Boutet, René (1993)
Campora, Giuseppe (1975)
Cantin, Yves (1986)
Clemmons, François (1977)
Clouthier, André (1996)
Cole, Vinson (1977)
Colvin, Michael (2000)
Coulombe, Georges (1970)
Cross, Gregory (1993)
Davies, Arthur (1992)
Davies, Maldwyn (1991)
Denys, Berthier (1990)
Doane, David (1986)
DuBois, Mark (1981)
DuFaut, Paul (1903)
Duguay, Richard (1988)
Duval, Pierre (1965)
Evans, Glyn (1984)
Filipovic, Igor (1990)
Forest, Frank (1953)
Gagné, Jules-Arthur (1906)
Gagnon, Jean (1958)
Garrison, Jon (1981)
Gérard, Jacques (1942)
Gosselin, Claude (1956)
Hervieux, Marc (2001)
Jeannotte, Jean-Paul (1963)
Jobin, André [aussi baryton] (1976)
Jobin, Raoul (1931)
Kelen, Tibor (1984)
LaRochelle, Émile (1923)
Lehman, Kurt (1999)
Lloyd, David (1963)
MacMaster, John (1997)
Margison, Richard (1989)
Martens, Victor (1971)
Moore, Paul (1996)
Partridge, Ian (1985)
Pellerin, Jean-Louis (1964)

Picard, Jean-Claude (1975)
Pruett, Jerome (1973)
Quesnel, Albert (1912)
Raymond, Moïse (1908)
Ruelland, Lucien (1947)
Saint-Gelais, Hugues (1992)
Schade, Michael (1989)
Schalanko, David (1976)
Schrey, Michiel (1999)
Sciascia, Salvatore (1975)
Séguin, Roland (1938)
Shaw, Eric (1998)
Shirley, George (1979)
Simoneau, Léopold (1943)
Trépanier, Paul (1971)
Turp, André (1956)
Valetti, Cesare (1964)
Van Kesteren, John (1975)
Vanzo, Alain (1987)
Verreau, Richard (1949)
Vickers, Jon (1969)
Vinay, Ramón (1948)
White, Robert (1995)

**Baryton**
Baerg, Theodore (1996)
Barcza, Peter (1994)
Bergeron, Jean-Clément (1984)
Bérubé, André (1963)
Bisson, Napoléon (1956)
Braun, Victor (1972)
Cameron, Christopher (1987)
Chouinard, Denis (1985)
Coulombe, Jean (1955)
Daunais, Lionel (1933)
Ducharme, Michel (1990)
Duguay, Camille (1905)
Faria, Luis-Ottavio (2001)
Goerz, Thomas (2002)
Gravel, Louis (1921)
Hinshaw, William (1914)
Jinchereau, Albert (1903)
Jobin, André [aussi ténor] (1974)
Lamontagne, Gilles (1949)
Laperrière, Gaétan (1995)
Laplante, Bruno (1979)
Lapointe, Jean-François (1988)
Legendre, Grégoire (1985)
Lichti, Daniel (1988)
Matthews, Benjamin (1977)
MacNaughton, Doug (1998)
McMillan, Kevin (2000)
Mollet, Pierre (1974)
Monk, Allan (1978)
Oland, Eric (1987)
Ouimet, Paul G. (1914)
Paré, Hormisdas (1906)
Pedrotti, Mark (1985)

Pereira, Alvarez (1907)
Prévost, Charles (1985)
Priestley, J. A. (1907)
Quilicot, Louis (1960)
Relyea, Gary (1992)
Richard, Roland (1977)
Riddez, Jean (1927)
Saucier, Joseph (1903)
Savoie, Robert (1976)
Smith, Andrew (1991)
Souzay, Gérard (1967)
Thorn, Roger (1939)
Trudeau, Marc (1984)
Van Dam, José (1995)
Warren, Leonard (1960)
Watson, Nathaniel (1998)

**Basse**
Avey, John (1997)
Bazemore, Raymond (1979)
Bédard, Claude (1958)
Bell, Donald (1967)
Boyden, John (1963)
Charbonneau, Pierre (1984)
Corbeil, Claude (1965)
Daoust, Jean-Guy (1974)
Donovan, Michael (2000)
Ens, Phillip (1990)
Feres, Amin (1966)
Gagnon, Gaston (1959)
Germain, Gaston (1960)
Gosselin, Roland (1973)
Haley-Relya, John (1993)
Harbour, Denis (1954)
Johnson, James (1999)
Kukurugya, Giulio (1976)
Maynor, Kevin (1996)
Paul, Thomas (1981)
Rouleau, Joseph (1956)
Saint-Amant, Yves (1983)
Simard, Rosaire (1969)
Turgeon, Bernard (1979)
Von Halem, Victor (1991)

**Accordéon / bandonéon**
Larréa, Romulo (1989)
Petric, Joseph (1988)

**Alto**
Doktor, Paul (1968)
Golani, Rivka (1987)
Masson, Chantal (1967)
Pasquier, Bruno (1971)

**Basson**
Lévesque, Stéphane (1996)

**Cembalum**
Leach, John (1974)

**Clarinette**
Campbell, James (1992)
Halevi, Chen (2000)
Hasneier, George (1903)
Lavoie, Jean (1976)
Masella, Rafael (1950)
Simons, Mark (1989)
Wyman, Donald (1962)

**Clavecin**
Ross, Scott (1985)
Thompson, Donald (1959)

**Cornemuse**
O'Flynn, Liam (1984)

**Contrebasse**
Karr, Gary (1973)
Rabbath, François (1996)
Van Demark, James (1989)

**Cor**
Acevedo, Felix (1976)
Baumann, Hermann (1992)
Clevenger, Dale (1998)
Tuckwell, Barry (1974)

**Flûte**
Aitken, Robert (1992)
Baillargeon, Hervé (1946)
Chouinard, Henriette (1907)
Daoust, Lise (1995)
Duncan, Roma (1996)
G'froerer, Joanna (1997)
LeRoy, René (1948)
Oien, Per (1986)
Rampal, Jean-Pierre (1969)
Shulman, Suzanne (1974)
Wilson, Ransom (1983)

**Flûte de Pan**
Morissette, Gérald (1995)
Zamphir, Georges (1988)

**Guitare**
Boucher, Rémi (1994)
Gismondi, Egberto [aussi pianiste] (1984)
Kraft, Norbert (1980)
Lagoya, Alexandre (1969)
McCutcheon, Peter (1986)
Pierri, Alvaro (1990)
Vallières, Jean (1989)
Yepes, Narciso (1968)

**Harmonica**
Garden, Claude (1972)
Reilly, Tommy (1984)
Siegel, Corkie (1991)

**Harpe**
Benet, Gillian (1996)
Goodman, Erica (1974)
Grandjany, Marcel (1945)
Loman, Judy (1994)
Nadeau, Lise (1961)
Préfontaine, Cécile [aussi pianiste] (1949)
Zabaleta, Nicanor (1973)

**Hautbois**
Cherney, Lawrence (1996)

**Mandoline**
Anedda, Giuseppe (1971)

**Ondes Martenot**
Laurendeau, Jean (1983)

**Orgue**
Bussières, Jean-Marie (1952)
Daveluy, Raymond (1997)
Doyon, Sylvain (1977)

**Percussion**
Glennie, Evelyn (1995)
Kilby, Muriel (1946)
Simard, Marie-Josée (1983)
Vasconcelos, Nana (1984)

**Piano**
Ajemian, Maro (1950)
Alcock, Gaye (1967)
Alexeyev, Anya (1998)
Anda, Geza (1964)
Andjaparidze, Eteri (1977)
Antonioli, Jean-François
[aussi chef d'orchestre] (1994)
Arrau, Claudio (1977)
Ashworth, Jenny (1962)
Ax, Emanuel (1995)
Badura-Skoda, Paul (1989)
Bailly, Paule (1946)
Ballon, Ellen (1953)
Bar-Illan, David (1964)
Baskin, Peter (1971)
Bates, Leon (1980)
Beaubien, Suzanne (1983)
Beaudet, Jean [aussi chef d'orchestre] (1933)
Béluze, Edith (1986)
Benedetti Michelangeli, Arturo (1970)
Berman, Lazar (1993)
Bernier, Léon [aussi chef d'orchestre] (1954)
Bessette, Louise (1994)
Bianconi, Philippe (2001)
Biot, Bruno (1967)
Block, Michel (1983)
Bolet, Jorge (1959)
Borek, Minuetta (1948)
Bouchard, Victor
[en duo avec Renée Morisset] (1952)

Boucher, Lise (1981)
Bourassa, Guy (1951)
Brailowsky, Alexandre (1961)
Brassard, Henri (1977)
Breton, Gilles (1946)
Brouw, Frans (1966)
Buchbinder, Rudolf (1989)
Casadesus, Robert (1965)
Cheng, Angela (1990)
Cherkassky, Shura (1987)
Chiasson, Flora (1986)
Chotem, Neil [aussi chef d'orchestre] (1949)
Chung, Lucille (1996)
Ciccolini, Aldo (1986)
Collard, Jean-Philippe (1986)
Dalberto, Michel (1999)
Dang, Thai Son (1991)
Dansereau, Jean (1939)
Deferne, Sylviane (1993)
De Larrocha, Alicia (1966)
Demus, Jörg (1969)
Désert, Claire (1994)
Dichter, Misha (1981)
Dick, James (1995)
Dompierre, Lucille (1922)
Dorion, Henri (1955)
Doyon, Paul (1944)
Dubois, Anne-Marie (1985)
Duchâble, François-René (1988)
Dufresne, Bernadette (1903)
Duphil, Monique (1982)
Durand, Marc (1980)
Dussault, Michel (1970)
Entremont, Philippe
[aussi chef d'orchestre] (1961)
Egorov, Youri (1984)
Feghali, José (1998)
Few, Guy [aussi trompettiste] (1996)
Fialkowska, Janina (1977)
Fichman, Yuval (1984)
Firkusny, Rudolf (1972)
Franck, Michel (1977)
François, Samson (1960)
Freire, Nelson (1985)
Gagnon-Pépin, Raymonde (1955)
Gagnon-Talbot, Geneviève (1954)
Gaveau, Colette (1948)
Gélinas, Françoise (1983)
Gilels, Emil (1965)
Gismondi, Egberto [aussi guitariste] (1984)
Graffman, Gary (1963)
Grainger, Percy (1947)
Gresko, Richard (1959)
Gutierrez, Horacio (1976)
Ha, Seung-Un (1993)
Halim, Eduardus (1999)
Hamelin, Marc-André (1990)
Han, Tong Il (1956)

Hass, Monique (1960)
Henriot, Nicole (1974)
Hewitt, Angela (1982)
Hinderas, Natalie (1979)
Hollander, Lorin (1963)
Hough, Steven (1992)
Hubert, Yvonne (1928)
Hudson, Gabrielle (1936)
Istomin, Eugene (1960)
Jablonski, Marek (1962)
Jalbert, David (2000)
Kalichstein, Joseph (1984)
Kempff, Wilhelm (1961)
Kitain, Anatol (1950)
Klien, Walter (1975)
Kolessa, Lubka (1942)
Kovacevich, Stephen (1986)
Kuerti, Anton (1961)
Lachance, Jeannine (1951)
LaForge, Frank (1914)
La Licata, Giuseppe (1982)
Landry, Jeanne (1949)
Laplante, André (1975)
Latour, Jean-François (1995)
Laval, Danielle (1997)
Lefèvre, Alain (1990)
Lemelin, Stéphane (1980)
Lerner, Tina (1909)
Levin, Robert (1993)
Loriod, Yvonne (1970)
Lortie, Louis (1979)
Lotto, Alberto (1969)
Lupu, Radu (1976)
Luvisi, Lee (2000)
Malcuzinsky, Witold (1968)
Manny, Gilles (1968)
Martel, Rachel (1962)
Martin, Gilberte (1941)
McIver, Allan (1944)
Meiszner, Louise (1947)
Merscher, Kristin (1984)
Moravec, Ivan (1973)
Morel, Dominique
[en duo avec Douglas Nemish] (1999)
Morin, Léo-Pol (1915)
Morisset, Renée (1950)
Naoumoff, Émile (1989)
Nemish, Douglas
[en duo avec Dominique Morel] (1999)
Ohlsson, Garrick (1972)
Ornstein, Leo [soliste sans orchestre] (1917)
Orth, Peter (1992)
Ostiguy, Marie-Andrée (1986)
Ozolins, Arthur (1980)
Pagny, Patricia (1997)
Parker, James (1999)
Parker, Jon Kimura (1990)
Pasternak, Benjamin (1993)

Pelletier, Louis-Philippe (1984)
Pennetier, Jean-Claude (1968)
Pépin, Clermont [aussi chef d'orchestre] (1947)
Perahia, Murray (1971)
Pratt, Ross (1943)
Préfontaine, Cécile [aussi harpiste] (1949)
Ránki, Dezsö (1988)
Raymond, Richard (1993)
Renaud, Émiliano (1903)
Riverin, Jacynthe (2002)
Rodriguez, Santiago (1997)
Rogé, Pascal (1996)
Rogoff, Ilan (1979)
Roll, Michael (1980)
Rösel, Peter (1969)
Rosenfeld, Jane (1947)
Rosenfeld, Joan (1947)
Rostal & Schaeffer [pianistes duettistes] (1986)
Sanroma, Jesus-Maria (1952)
Sarantseva, Ekaterina (1985)
Saulnier, Jean (1988)
Savaria, Georges (1945)
Schub, André-Michel (1991)
Seveigny, Bud (1950)
Sherman, Russell (1992)
Siegel, Jeffrey (1981)
Silverman, Robert (1970)
Stewart, Paul (1983)
Sultanov, Alexei (1998)
Suzuki, Zeyda (1966)
Tacchino, Gabriel (1989)
Therrien, Jeanne (1945)
Thibaudet, Jean-Yves (1991)
Thomson, Philip (1983)
Tremblay-Gobeil, Lucie (1943)
Tritt, William (1981)
Tryon, Valérie (1988)
Tselyakov, Alexander (1998)
Turini, Ronald (1967)
Uchida, Mitsuko (1985)
Varro, Maria (1966)
Viardo, Vladimir (1997)
Von Alpenheim, Ilse (1978)
Votapek, Ralph (1998)
Wayser, Nathalie (1968)
Weintraub, Nadia (2001)
Weisz, Robert (1976)
Yablonskaya, Oxana (1994)
Zeltser, Mark (1985)

### Saxophone
Bourque, Pierre (1985)
Champigny, René (1995)
Macéro, Téo [aussi chef d'orchestre] (1984)

### Sitar
Shankar, Ravi (1974)

### Trombone
Trudel, Alain (1990)

### Trompette
André, Maurice (1973)
Few, Guy [aussi pianiste] (1996)
Lindemann, Jens (1992)
Marsalis, Winton (1984)

### Violon
Accardo, Salvatore (1963)
Ajemian, Anahid (1944)
Allen, Sanford (1977)
Amoyal, Pierre (1974)
André, Roger (1970)
Armin, Otto (1965)
Beaver, Martin (1994)
Bélanger, Edwin (1937)
Berick, Yehonatan (1997)
Berlinski, Dmitri (1988)
Bernard, Claire (1967)
Bertolami, Viviane (1946)
Boisvert, Emmanuelle (1983)
Bowman, Benjamin (1998)
Brunet, Noël (1949)
Buswell, James Oliver IV (1965)
Capuçon, Renaud (1999)
Cerovsek, Corey (1990)
Chalifour, Martin (1995)
Chaplin, Francis (1952)
Charlier, Olivier (1993)
Chauveton, Michel (1958)
Chung, Kyung-Wha (1977)
Comettant, Georgette (1914)
Dawes, Andrew (1963)
Dubeau, Angèle (1986)
Dubow, Marilyn (1959)
Ehnes, James (1991)
Erlih, Devy (1962)
Ferras, Christian (1960)
Frank, Pamela (1999)
Fried, Miriam (1970)
Gauthier, Marc-André (1990)
Gomyo, Karen (1991)
Gorecka, Janina (1945)
Grubert, Ilya (1997)
Gruppe, Paulo (1912)
Haendel, Ida (1974)
Hagen, Betty-Jean (1957)
Hammer, Moshe (1987)
Hoebig, Gwen (1989)
Juillet, Chantal (1984)
Kander, Gerhard (1947)
Kang, Don-Suk (1976)
Kang, Juliette (2001)
Kantorov, Jean-Jacques (1967)
Kawakubo, Tamaki (2000)
Kogan, Leonid (1964)

Lancman, Vladimir (1966)
Laredo, Jaime [aussi chef d'orchestre] (1970)
LeBlanc, Arthur (1921)
Lee, Elissa (2000)
Lee Kokkonen, Elissa (1993)
Melançon, Violaine (1986)
Meyers, Anne Akiko (2000)
Midori (1985)
Mintz, Shlomo (1981)
Morini, Erica (1962)
Nadien, David (1948)
Nikkanen, Kurt (1994)
Oïstrakh, David (1964)
Oïstrakh, Igor (1964)
Oleg, Raphaël (1992)
Oliveira, Elmar (1981)
Oundjian, Peter (1984)
Pasquier, Régis (1967)
Perlman, Itzhak (1977)
Poulet, Gérard (1990)
Rabin, Michael (1969)
Ricci, Ruggiero (1972)
Robert, Lucie (1987)
Rosand, Aaron (1982)
Seto, Michelle (1987)
Shaham, Gil (1996)
Shankar, Lakshminarayana (1984)
Sieb, Calvin (1952)
Silverstein, Joseph
[aussi chef d'orchestre] (1990)
Spivakovski, Tossy (1961)
St. John, Scott (1990)
Staryk, Steven (1974)
Szeryng, Henryk (1944)
Takesawa, Koyko (1991)
Terebesi, György (1984)
Totenberg, Roman (1961)
Wang, Jing (2001)
Zazofsky, Peter (1980)

### Violoncelle
Antoun, Carla (1995)
Bourdon, Rosario (1903)
Brott, Denis (1977)
Carr, Colin (1994)
Depkat, Gisèle (1973)
Dubois, Jean-Baptiste (1904)
Dyachkov, Yegor (1995)
Fournier, Pierre (1959)
Gastinel, Anne (1994)
Gendron, Maurice (1961)
Gérardy, Jean (1914)
Hoebig, Desmond (1989)
Hoffman, Gary (1984)
Joachim, Walter (1953)
Kirshbaum, Ralph (1988)
Leduc, Roland (1945)
Lysy, Antonio (1997)

Ma, Yo-Yo (1979)
Marchesini, Michel (1967)
Navarra, André (1962)
Nelsova, Zara (1951)
Parisot, Aldo (1975)
Perron, Johanne (1987)
Rivinius, Gustav (1998)
Robinson, Sharon (1991)
Rolland, Sophie (1989)
Rolston, Shauna (1997)
Rose, Leonard (1963)
Rostropovitch, Mstislav (1979)
Selmi, Giuseppe (1976)
Tortelier, Maud (1989)
Tortelier, Paul (1983)
Tsutsumi, Tsuyoshi (1988)
Valleau, William (1984)
Walevska, Christine (1973)
Warner, Wendy (1999)

### Autres

**Animateur / comédien / narrateur / récitant**
Aubé, Richard (1989)
Boisjoly, Charlotte (1962)
Chouinard, André (1993)
Compain, Jean-Pierre (1970)
D'Anjou, Rémi (1986)
Devon, Laura (1974)
Eykel, Marie (1984)
Gagnon, Hubert (1985)
Garneau, Marc (1988)
Germain, Nicole (1950)
Gilbert, Bernard (1989)
Gilmore, Dany (1999)
Lautrec, Donald (1972)
Lemay-Thivierge, Guillaume (1990)
L'Heureux, Jacques (1999)
Marchand, Jean (1993)
Moreau, Jean-Guy (1987)
Morency, Pierre (1969)
Saint-Denis, Claude (1992)
Souris Bouquine [Estelle Généreux] (2001)
Valcourt, Pierre (1968)

**Artistes populaires**
Belgazou (1985)
Bernard, Andrée (1980)
Boccara, Frida (1971)
Cabrel, Francis (1987)
Charlebois, Robert (1987)
Chevrier, Martine (1985)
Desrosiers, Marie-Michèle (1987)
Dufresne, Diane (1988)
Eva (1985)
Forestier, Louise (1987)
Foubrac (Les) (1988)
Gagnon, André (1970)
Gignac, Fernand (1985)
Gillespie, Dizzy (1980)

Guelfucci, Petru (1994)
Hope, Michael (2000)
Jalbert, Laurence (1992)
Jérolas (Les) (1969)
Jones, Oliver (1990)
Laine, Cleo (1997)
Lama, Serge (1997)
Lapointe, Jean (voir Jérolas)
Larc, Verónica (2002)
Lavoie, Daniel (1985)
Lelièvre, Sylvain (1985)
Lemay, Jérôme (voir Jérolas)
Léveillée, Claude (1970)
Léveillée, François (1980)
Leyrac, Monique (1985)
MacMaster, Natalie (2001)
Marie Carmen (1993)
Martin, Nicole (1985)
Nougaro, Claude (1984)
Pelletier, Marie-Denise (2001)
Reno, Ginette (1987)
Rivard, Michel (1987)
Saint-Clair, Martine (1985)
Séguin, Marie-Claire (1991)
Séguin, Richard (1994)
Thibault, Fabienne (1984)
Tremblay, Sylvie (1985)
Trenet, Charles (1988)
Vigneault, Gilles (1971)
Walsh, Bob (2001)
Young, Karen (1988)

**Danseurs et compagnies de danse**
Atanasoff, Cyril (1969)
Ballets Kataline Molnar (1987)
Daubresse, Anne (1969)
Del Rio, Sonia (1973)
Fernandez, Paco (1973)
Gillis, Margie (1984)
Gran ballet folklorico de México (1997)
Greco, José (1979)
Lorca, Nana (1979)
McAfee, Leslie (1993)
National Tap Dance (1988)
Orlowski, William (1993)
Paula Moreno Dance Company (1999)

**Ensembles et compagnies théâtrales**
Arsenal à musique (2000)
Aubergine de la Macédoine (1986)
Bande Magnétik (1994)
Bulle et Barbouillette (1990)
Cambridge Buskers (1988)
Canadian Saxophone Quintet (1992)
Chœur de la Maîtrise de Québec (1957)
Classical Kids (1999)
Ensemble Cantabile de Montréal (1984)
Ensemble Romulo Larrea (2002)
Ensemble Vic Angelillo (1971)
Ensemble vocal André Martin (1985)
Ensemble vocal Bernard-Labadie (1989)
Ensemble vocal Chantal Masson (1965)
Ensemble vocal Tudor de Montréal (1987)
Iseler Singers (1989)
Jeans'n Classics (2002)
Llords' International, marionnettes (1974)
Lounge Lizard (1984)
Magic Mime Circus (2001)
New Orleans Connection (1999)
Percussions de Strasbourg (1971)
Quartango (1998)
Quartetto Gelato (1996)
Quatuor Michel Cusson (2000)
Répercussion (1989)
Royal 22e Régiment, musique du (1993)
Théâtre Platypus (2000)
Théâtre du Trident (1999)
Trio Jacques Loussier (1972)
Trio Kalichstein-Laredo-Robinson (1994)
Vancouver Chamber Choir (1987)

**Instrumentistes de l'OSQ ayant dirigé l'orchestre**
Darisse, Gilbert
DesRochers, abbé Pierre-Chrysologue
Dubé, Wilbrod
Dumas, Charles
Létourneau, Claude
Lortie, Serge
Morin, Pierre
Suzuki, Hidetaro
Vézina, Raoul

**Solistes invités du Cercle philharmonique (1935-1942)**

**Chant**

**Soprano**
Bilodeau-Fleury, Rita (1942)
Doré, Jeanne (1941)
Lagarde-Lesage, Corinne (1941)
Laquerre, Jeanne D'Arc (1941)
Pfeiffer, Dorothy (1939)

**Contralto**
Hall, Muriel (1937)

**Ténor**
Lemieux, Joseph (1941)
Létourneau, Jean (1940)

**Baryton**
Thorn, Roger (1941)

**Clarinette**
Gosselin, Germain (1942)

**Flûte**
Garzia, Luigi (1936)

**Piano**
Bailly, Paule (1939)
Barette, Yvon (1939)
Bernier, Gabrielle (1938)
Dompierre, Lucille (1938)
Drouin, Rachel (1936)
Lane, Thérèse (1940)
Létourneau, Madeleine (1935)
Lindsay, Georges (1937)
Préfontaine, Cécile (1940)
Savary, Marie-Laure (1938)
Smale, Charlotte (1941)

**Violon**
Brunet, Noël (1940)
Glenn, Carroll (1940)
Sarser, David (1942)

**Violoncelle**
Létourneau, Paul (1941)

**1906, 26 mars**
Joseph Vézina, *Le Lauréat*,
opéra-comique en deux actes.
Livret de Félix-Gabriel Marchand.
(2 représentations, les 26 et 27 mars).
**Direction** : Joseph Vézina.

**1910, 14 mars**
Joseph Vézina, *Le Rajah*,
opéra bouffe en deux actes.
Livret de Benjamin Michaud.
(3 représentations, les 14, 15 et 18 mars).
**Direction** : Joseph Vézina.

**1912, 11 mars**
Joseph Vézina, *Le Fétiche*,
opéra-comique en deux actes.
Livret d'Alexandre Villandray et Louis Fleur.
(3 représentations, les 11, 12 et 16 mars).
**Direction** : Joseph Vézina.

**1916, 31 mars**
Charles O'Neill, *Ouverture Brutus*\*.
**Direction** : Joseph Vézina.

**1919, 30 avril**
Robert Talbot, « Le Lever du jour »,
extr. d'*Une Journée à la campagne*,
suite pour orchestre.
**Direction** : Joseph Vézina.

**1921, 13 avril**
Robert Talbot, « Adagio »,
extr. de la *Suite d'orchestre miniature*.
(Il s'agit peut-être d'un mouvement d'une suite
remaniée en 1922 et intitulée *Trois Miniatures*).
**Direction** : Joseph Vézina.

**1929, 14 juin**
Robert Talbot, *Gloire à Marie*,
pour chœur et orchestre.
**Direction** : Robert Talbot.

**1936, 19 février** (Cercle philharmonique)
Lucien Vocelle, *Ouverture Manon*.
**Direction** : Edwin Bélanger.

**1938, 17 janvier** (Cercle philharmonique)
Lucien Vocelle, *Concerto pour piano*.
**Soliste** : Marie-Paule Savary.
**Direction** : Edwin Bélanger.

**1939, 23 janvier**
Clermont Pépin, *Symphonie*.
Orchestrée par Robert Talbot.
**Direction** : Robert Talbot.

**1941, 23 février**
Maurice Blackburn, *Fantaisie en mocassins*.
**Direction** : Maurice Blackburn.

**1941, 4 mai** (Cercle philharmonique)
Lucien Vocelle, *Trois danses canadiennes*\*.
**Direction** : Edwin Bélanger.

**1943, 17 mai**
Lucien Vocelle, *Poème*\*.
**Direction** : Edwin Bélanger

**1943, 17 mai**
Léo Roy, *Chant de Victoire*\*
(probablement dans la version pour voix et orchestre).
**Soliste présumée** : Rolande Dion, soprano.
**Direction** : Edwin Bélanger.

**1944, 30 janvier**
Morris Davis, *Blues and Finale*.
Arrangé par Allan McIver.
**Soliste** : Allan McIver, pianiste.
**Direction** : Edwin Bélanger.

**1945, 25 février**
Clermont Pépin, *Thème et variations*
pour orchestre à cordes.
(titre du programme : *Variations sur un thème original*)
**Direction** : Clermont Pépin.

**1945, 25 mars**
Lucien Vocelle, *Edith Cavell*,
poème symphonique.
**Direction** : Edwin Bélanger.

**1947, 23 septembre**
(à Saint-Georges de Beauce)
Clermont Pépin, *Romance*\*.
**Direction** : Clermont Pépin.

**1948, 29 février**
Lucien Vocelle, *Concerto pour violon*.
**Soliste** : Gilbert Darisse.
**Direction** : Edwin Bélanger.

**1949, 27 février**
Gaston Allaire, « Évocation » et « Menuet »,
extr. de la *Suite laurentienne*.
**Direction** : Edwin Bélanger.

**1951, 17 février**
Lucien Vocelle, *Les Ombres sur la neige*\*
pour alto et orchestre.
**Soliste** : Lucien Vocelle.
**Direction** : Wilfrid Pelletier.

**1951, 9 octobre**
Wilfrid Pelletier, *Québec en fête*
(sous-titré : *Arrangement d'airs de Folklore
dédié à Leurs Altesses Royales*).
**Direction** : Wilfrid Pelletier.

**1953, 17 mai**
Clermont Pépin, *Guernica*,
poème symphonique.
**Direction** : Wilfrid Pelletier.

**1960, 14 novembre**
Roger Matton,
*Mouvement symphonique no 1*.
Commande de l'OSQ.
**Direction** : Françoys Bernier.

**1961, 28 janvier**
Michel Perrault,
*Prélude à un Carnaval*.
**Direction** : José Iturbi.

**1962, 1er décembre** (à Joliette)
Maurice Dela, *Seconde esquisse*.
**Direction** : Françoys Bernier.

**1963, 18 novembre**
Serge Garant, *Ouranos*.
**Direction** : Françoys Bernier.

**1964, 30 novembre**
Roger Matton, *Concerto pour deux pianos*.
**Solistes** : Victor Bouchard et Renée Morisset.
**Direction** : Pierre Dervaux.

**1964, 5 décembre**
Omer Létourneau, *Gloria*.
St. Vincent's Choir.
**Direction** : Françoys Bernier.

**1966, 15 janvier** (à Jonquière)
François Brassard,
*Marche fantasque et festival*.
**Direction** : Françoys Bernier.

**1966, 3 avril**
Rénald Saint-Pierre,
*Fantaisie pour orchestre*.
**Direction** : Françoys Bernier.

**1967, 27 septembre** (à Val-d'Or)
Edgar Davignon, *Cantate Abitibi*.
Poème de Jean Ratté.
Orchestration de Marc Bélanger.
**Chorale de la Vallée d'or**.
**Récitant** : Yvon Bouchard.
**Direction** : Edgar Davignon.

**1967, 27 novembre**
Roger Matton, *Te Deum*.
Commande de l'OSQ.
Texte de Mgr Félix-Antoine Savard.
**Soliste** : Gaston Germain, baryton.
**Direction** : Françoys Bernier.

**1969, 17 mars**
Alain Gagnon, *Prélude pour orchestre*.
**Direction** : Pierre Dervaux.

**1970, 26 janvier**
Jean Françaix, *Concerto pour violon no 1*.
**Soliste** : Roger André.
**Direction** : Pierre Dervaux.

**1970, 6 avril**
Jacques Hétu, *Concerto pour piano*.
**Soliste** : Robert Silverman.
**Direction** : Pierre Dervaux.

**1971, 29 avril**
Vic Angelillo, *Tangentes*,
concerto pour combo de jazz et orchestre.
Commande de l'OSQ.
**Direction** : Pierre Dervaux.

**1972, 20 janvier**
Henri Sauguet, *Concerto pour harmonica*.
**Soliste** : Claude Garden.
**Direction** : Pierre Dervaux

**1972, 25 novembre** (à Sherbrooke)
Claude Léveillée,
*Le dict de l'aigle et du castor*.
Commande de l'OSQ.
Texte de Gilles Vigneault.
Arrangement de Neil Chotem.
**Narration** : Claude Léveillée.
**Direction** : Neil Chotem.

**1973, 5 mai** (au Guelph Spring Festival)
Clermont Pépin, *Chroma*.
**Direction** : Pierre Dervaux.

**1974, 7 mai**
Roger Matton,
*Mouvement symphonique no 3*.
Commande de l'OSQ.
**Direction** : Pierre Dervaux.

**1976, 10 février**
Franco Mannino,
extrait de la musique du film *L'Innocente*
(réal. : Luchino Visconti).
**Soliste** : Giuseppe Selmi, violoncelle.
**Direction** : Franco Mannino.

**1976, 6 avril**
André Prévost, *Chorégraphie II*.
Commande de l'OSQ.
**Direction** : Otto-Werner Mueller.

**1980, 22 septembre**
Vic Angelillo,
*Dans une fontaine jouaient trois canards*.
**Direction** : James DePreist.

**1980, 2 décembre**
Roger Matton,
*Mouvement symphonique no 4*.
Commande de l'OSQ.
**Direction** : James DePreist.

**1981, 17 septembre** (à Gaspé)
Neil Chotem, *Images gaspésiennes*.
**Direction** : James DePreist.

\* Première audition présumée, mais non attestée.

**1982, 26 janvier**
François Sasseville,
*Églogues symphoniques.*
Commande de l'OSQ.
**Direction** : James DePreist.

**1982, 7 décembre**
Anne Lauber,
*Valse concertante pour piano et orchestre.*
Commande de l'OSQ.
**Soliste** : Françoise Gélinas.
**Direction** : Pierre Hétu.

**1983, 29 novembre**
Anne Lauber,
*Au-delà du mur du son /
Beyond the Sound Barrier,*
conte symphonique.
Commande conjointe de l'OSQ
et de l'Orchestre symphonique de Toronto.
Poème de Paule Tardif-Delorme.
**Narration** : Pierrette Robitaille
et Jacques Girard.
**Direction** : Mario Duschènes.

**1984, 6 mars**
Jacques Hétu, *Les Abîmes du rêve.*
**Soliste** : Joseph Rouleau, basse.
**Direction** : Mario Bernardi.

**1986, 25 mars**
Marc Gagné,
*Itinéraire pour le retour de Jacques Cartier.*
**Direction** : Simon Streatfeild.

**1988, 16 février**
Denys Bouliane,
*Le Cactus rieur et la demoiselle
qui souffrait d'une soif insatiable.*
**Direction** : Simon Streatfeild.

**1988, 23 février**
Denis Bédard, *Concerto pour flûte et cordes.*
**Soliste** : Barbara Todd-Simard.
**Direction** : Simon Streatfeild.

**1988, 28 novembre**
Clermont Pépin, *Concerto pour marimba.*
**Soliste** : Marie-Josée Simard.
**Direction** : Gabriel Chmura.

**1989, 14 février**
Alex Pauk, *Cosmos.*
**Direction** : Simon Streatfeild.

**1990, 12 février**
Serge Nigg, *Poème pour orchestre.*
Commande de la Communauté
des radios publiques
de langue française (CRPLF).
**Direction** : Simon Streatfeild.

**1991, 28 mai**
André Prévost, *Ouverture 1991.*
Commande du Grand Théâtre de Québec
à l'occasion de son 20e anniversaire.
**Direction** : Simon Streatfeild.

**1991, 12 novembre**
Denis Dion,
*Vers 210 milliards de souvenirs
en quête de bois de rose.*
Commande de l'OSQ.
**Direction** : Pascal Verrot.

**1993, 7 avril**
François Morel, *Chant d'espace.*
Commande de l'OSQ.
**Direction** : Pascal Verrot.

**1993, 27 avril**
Clermont Pépin, *La Messe sur le monde.*
Commande de l'OSQ.
**Soliste** : Joseph Rouleau.
**Direction** : Pascal Verrot.

**1994, 18 janvier**
Denys Bouliane, *De Sophie à Léon.*
**Solistes** : Ingrid Schmithüsen, soprano,
et Darren Lowe, violon.
**Direction** : Pascal Verrot.

**1994, 18 janvier**
Denys Bouliane, *Épilogue à Anna Karenine.*
**Solistes** : Ingrid Schmithüsen, soprano,
et Darren Lowe, violon.
**Direction** : Pascal Verrot.

**1994, 6 mars**
Denis Dion, *Quelques détours…*
Commande de la Société Radio-Canada.
Ensemble contemporain de l'OSQ.
**Direction** : Lorraine Vaillancourt.

**1994, 20 septembre**
Pierre Bartholomée, *Humoresque.*
Commande de la Radio belge (RTBF).
**Direction** : Pascal Verrot.

**1995, 2 avril**
Alain Perron, *Empreintes sonores.*
Commande de la Société Radio-Canada.
Ensemble contemporain de l'OSQ.
**Direction** : Walter Boudreau.

**1995, 5 novembre**
Évelin Auger, *Ordonner le désordre.*
Ensemble de cuivres de l'OSQ.
**Direction** : Denys Bouliane.

**1995, 5 novembre**
Denys Bouliane, *Appels-Rappels.*
Commande de l'OSQ.
Ensemble de cuivres de l'OSQ.
**Direction** : Denys Bouliane.

**1996, 26 avril**
Denys Bouliane,
*Entre chien et loup,* concerto pour hautbois
et orchestre à cordes.
**Soliste** : Lawrence Cherney.
**Direction** : Gilles Auger.

**1996, 7 décembre**
Guy Gingras, *ADN, Ad Delirium Numerorum.*
Commande de Radio-Canada.
Ensemble du xxe siècle de l'OSQ.
**Direction** : Denys Bouliane.

**1996, 10 décembre**
Michel Legrand,
*Contrebande pour contrebasse.*
**Soliste** : François Rabbath.
**Direction** : Boris Brott.

**1998, 7 mai**
Yannick Plamondon,
*Février pour 23 cordes.*
Commande de Radio-Canada.
Créé lors du festival
Musiques au présent.
**Direction** : Gilles Auger.

**1998, 9 mai**
Denys Bouliane, *Concerto pour piano.*
Commande de l'OSQ
et du Conseil des Arts du Canada.
Créé lors du festival
Musiques au présent.
**Soliste** : Marc-André Hamelin.
**Direction** : Denys Bouliane.

**1999, 5 juin**
Jean Lesage,
*Les Représentations surannées.*
Commande de l'OSQ.
Créé lors du festival
Musiques au présent.
**Direction** : Denys Bouliane.

**1999, 5 juin**
Walter Boudreau, *La Vie d'un héros,
Tombeau de Claude Vivier,*
pour violon et orchestre à cordes.
Commande de Radio-Canada.
Créé lors du festival
Musiques au présent.
**Soliste** : Julie-Anne Derome.
**Direction** : Walter Boudreau.

**2001, 29 mai**
François Morel, *Rupture.*
Commande de l'OSQ.
Créé au Palais Montcalm lors
d'un concert hommage à François Morel.
**Direction** : Jean-François Rivest.

**1977**[1]
*75e anniversaire*
Lekeu,
*Adagio pour cordes*, op. 3
Matton, *Mouvement symphonique no 1*
Milhaud, *Suite provençale*
James DePreist, chef d'orchestre
RCI 454

**1982**
*Le Conte de l'Oiseau*
Léopold Mozart, *Symphonie des jouets*
Prévost, *Le Conte de l'oiseau*
(texte de Paule Tardif-Delorme)
Dorothée Berryman et Jean Besré,
narrateurs
Mario Duschènes, chef d'orchestre
Société nouvelle d'enregistrement, SNE 518

**1985**
*Berlioz, Harold en Italie*
Douglas McNabney, alto ;
Simon Streatfeild, chef d'orchestre
Disques Radio-Canada, SM 5047

**1986**
*Hommage à la Pavlova*
Adam, extraits de l'acte II de *Giselle* ;
Delibes, « Prélude et valse »,
extr. de *Coppélia* ;
Drigo, *Le Réveil de Flore* ;
Glazounov, « Bacchanale »,
extr. des *Saisons* ;
Minkus, « Pas de deux »,
extr. de *Don Quichotte* ;
Rubinstein, *Romance*, op. 44 ;
Saint-Saëns, « La Mort du cygne »,
extr. du *Carnaval des animaux* ;
Tchaïkovski, extraits des actes 1 et 3
de *La Belle au bois dormant* ;
« Décembre », extr. des *Saisons*, op. 37b ;
*Souvenir d'un lieu cher*, op. 42 no 3
Liliane Garnier-Lesage, violon ;
Neil Chotem, piano ;
Pierre Morin, violoncelle ;
Danièle Habel, harpe
Simon Streatfeild, chef d'orchestre
Disques Radio-Canada, SMCD 5048

**1987**
*Les Abîmes du rêve*
Hétu, *Les Abîmes du rêve*
(sur des poèmes d'Émile Nelligan)
Joseph Rouleau, basse
Simon Streatfeild, chef d'orchestre
Société nouvelle d'enregistrement, SNE- 525

**1987**
*Grands duos d'amour de l'opéra français*
Bizet, « Parle-moi de ma mère »,
extr. de *Carmen* ;
Gounod, « Va, je t'ai pardonné »,
« Nuit d'hyménée »,
extr. de *Roméo et Juliette* ;
« Air des bijoux », extr. de *Faust* ;
Massenet, Prélude à l'acte 1, « Et je sais
votre nom », « Nous vivrons à Paris »,
extr. de *Manon* ;
« Ô souverain, ô juge, ô père », extr. du *Cid* ;
Offenbach, « C'est une chanson d'amour »,
extr. des *Contes d'Hoffmann*
Lyne Fortin, soprano ;
Richard Margison, ténor
Simon Streatfeild, chef d'orchestre
Disques Radio-Canada, SMCD 5072

**1992**
*La musique du réalisme magique,
volume II*
Bouliane, *Le cactus rieur et la demoiselle
qui souffrait d'une soif insatiable*
Simon Streatfeild, chef d'orchestre
[Ce disque comprend également
*A Certain Chinese Cyclopædia*
et *Douze tiroirs de demi-vérités pour alléger
votre descente*, non interprétés par l'OSQ.]
Quintette Calamus,
Société nouvelle d'enregistrement, SNE 567 CD

**1993**
*90e anniversaire*
Arsenault, *Prélude à l'infini* ;
Honegger, *Symphonie no 3 « Liturgique »* ;
Messiaen, *Les Offrandes oubliées* ;
Nigg, *Poème symphonique*
Simon Streatfeild, chef d'orchestre
REM, 311197 XCD

**1993**
*Roussel*
*Le Festin de l'araignée*, op. 17 ;
*Concert pour petit orchestre*, op. 34,
*Sinfonietta pour cordes*, op. 52,
*Quatrième symphonie en la majeur*, op. 53
Pascal Verrot, chef d'orchestre
Analekta, AN 2 9911

**1993**
*Noël*
Adam, *Minuit, Chrétiens** ;
Bach / Gounod, *Ave Maria*** ;
Berlin, *Noël Blanc*** ;
Bizet, *Agnus Dei** * ;
Franck, *Panis Angelicus*** ;
Gruber, *Sainte nuit** ;
Mozart, « Alleluia » de *l'Exultate Jubilate* ;
Schubert, *Ave Maria*** ;
Simeone / Onorati / Davis,
*L'Enfant au tambour*** ;
traditionnels, *Greensleeves*,
*Les Anges dans nos campagnes** ,
*Carol of the Bells*** ;
Wade, *Adeste fideles* ;
Yon, *Gesù Bambino**
*arr. Marc Bélanger ;
**arr. Gilles Léveillé

Lyne Fortin, soprano
Pascal Verrot, chef d'orchestre
Analekta, AN 2 9111

**1997**
*Serge Lama Symphonique*
Serge Lama, *Où vont tous ces bateaux* ;
*La salle de bain* ; *L'enfant au piano* ;
*Je t'aime* ; *Ballade pour une colombe* ;
*Chez moi* ; *Moyennant quoi* ;
*Je suis malade* ; *Le 15 juillet à 5 heures* ;
*Marie la Polonaise*
Orchestrations de Gilles Ouellet
Serge Lama
Gilles Ouellet, chef d'orchestre
Warner Music France et Le Capitole de Québec inc.,
CD 20857

**2001**
*Tchaïkovski*
*Concerto pour piano no 1
en si bémol mineur* ;
*Symphonie no 1 en sol mineur*
André Laplante, piano
Yoav Talmi, chef d'orchestre
Les productions Riche Lieu,
Collection Chaîne culturelle, RIC 2 9970

**2001**
*Concert français*
Saint-Saëns, *Introduction
et Rondo capriccioso* ; *Havanaise* ;
Berlioz, *Rêverie et Caprice* ;
*Ouverture Le Corsaire* ;
Chausson, *Poème* ;
Debussy, *Tarentelle styrienne* ;
Milhaud, *Cinéma-Fantaisie,
d'après le Bœuf sur le toit* ;
Massenet, « Méditation » de *Thaïs*
James Ehnes, violon
Yoav Talmi, chef d'orchestre
Analekta, FL 2 3151

---

1 La date qui figure avant le titre du disque indique l'année de parution.

# SOURCE DES ILLUSTRATIONS

LORSQU'UNE PAGE COMPTE PLUS D'UNE ILLUSTRATION, LES LETTRES A, B ET C
DISTINGUENT CHACUNE, DE GAUCHE À DROITE OU DE HAUT EN BAS.

**Toiles en têtes de chapitre**

**Chapitre I**
**James W. Morrice (1865-1924)**
*The Terrace*, propriété du Club Mont-Royal (Montréal).
Reproduite avec l'aimable autorisation de M. Juan A. Llano, secrétaire du Club Mont-Royal.

**Chapitre II**
**Adrien Hébert (1890-1967)**
*Parc Montmorency, Québec*, Musée du Québec.
Reproduite avec l'aimable autorisation de M. Bruno Hébert, c.s.v.,
de la succession d'Adrien Hébert.

**Chapitre III**
**Jean Dallaire (1916-1965)**
*Nabu Codo Nosor*, Musée du Québec.
© Succession Jean Dallaire / SODRAC (Montréal) 2002

**Chapitre IV**
**Alfred Pellan (1908-1988)**
*Floraison*, Musée du Québec.
© Succession Alfred Pellan/ SODRAC (Montréal) 2002

**Chapitre V**
**Jacques Hurtubise (né en 1939)**
*Les grandes marées*, Musée du Québec.
© SODART 2002

**p. 12** : Musée de la civilisation, fonds d'archives du Séminaire de Québec, (Joseph Vézina, D.M.U.L. N° PH1987-2320) ; **p. 13** : a : Archives nationales du Québec à Québec (ANQ-Q), P 560 ; b : ANQ-Q, P 519 ; c : coll. Bertrand Guay ; **p. 15** : a : ANQ-Q, P 1000 ; b : photo Marc Couture ; **p. 16** : a : coll. Bertrand Guay ; b : Annuaire des adresses de Québec et Lévis, 1905-1906 ; **p. 17** : ANQ-Q, P 519 ; **p. 18** : a : voir p. 19 ; b : ANQ-Q, P 560 ; **p. 19** : coll. Bertrand Guay ; **p. 20** : ANQ-Q, P 519 ; **p. 21** : ANQ-Q, P 174 ; **p. 22** : coll. Bertrand Guay ; **p. 23** : Bibliothèque nationale du Canada, fonds Éva Gauthier ; **p. 24** : Bibliothèque du Conservatoire de musique de Québec, fonds Joseph-Vézina ; **p. 25** : photo Marc Couture ; **p. 26** : ANQ-Q, P 519 ; **p. 27** : ANQ-Q, P 90 ; **p. 28** : ANQ-Q, P 519 ; **p. 29** : a et b : coll. Bertrand Guay ; **p. 31** : coll. Claude-Antoine Picard ; **p. 32** : coll. Jeannette LeBlanc ; **p. 33** : ANQ-Q, P 560 ; **p. 34** : voir p. 12 ; **p. 35** : Bibliothèque du Conservatoire de musique de Québec, fonds Joseph-Vézina ; **p. 38** : coll. Annette Lachance ; **p. 40** : coll. Bertrand Guay ; **p. 41** : coll. Annette Lachance ; **p. 42, 44 et 45** : coll. Bertrand Guay ; **p. 46** : ANQ-Q, P 519 ; **p. 47** : ANQ-Q, P 467 ; **p. 48** : coll. Edwin Bélanger ; **p. 49** : ANQ-Q, P 467 ; **p. 51** : a : ANQ-Q, P 519 ; b : coll. Bertrand Guay ; **p. 52** : ANQ-Q, P 547 ; **p. 53** : coll. Clermont Pépin ; **p. 54** : ANQ-Q, P 467 ; **p. 55** : ANQ-Q, P 1000 ; **p. 56** : ANQ-Q, P 519 ; **p. 57** : coll. Edwin Bélanger ; **p. 59** : photo Joseph Lavergne, ANQ-Q P 354 ; **p. 62-63** : coll. Edwin Bélanger ; **p. 64** : ANQ-Q, P 467 ; **p. 65** : ANQ-Q, P 519 ; **p. 68** : ANQ-Q, P 519 ; **p. 70** : coll. Jacques Simard ; **p. 71** : coll. Edwin Bélanger ; **p. 72** a et b : ANQ-Q, P 467 ; **p. 73** : coll. Jacques Simard ; **p. 76** : ANQ-Q, P 519 ; **p. 77** : coll. Réal Joly ; **p. 78** : coll. Marcelle Lacroix ; **p. 79** : coll. François Magnan ; **p. 80** : a : coll. Réal Joly ; b : coll. Henri Dorion ; **p. 81** : ANQ-Q, P 519 ; **p. 82** : a : coll. Réal Joly ; b : ANQ-Q, P 718 ; **p. 83** : photo James Abresch, ANQ-Q, P 519 ; **p. 85** : ANQ-Q, P 519 ; **p. 87** : ANQ-Q, P 519 ; **p. 90** : Archives de l'OSQ ; **p. 91** : ANQ-Q, P 519 ; **p. 92** : photo Claude Tessier, ANQ-Q, P 519 ; **p. 93** : *Le Soleil* ; **p. 94** : photo David Bier, ANQ-Q, P 519 ; **p. 95** : *Le Nouvelliste* (Trois-Rivières) ; **p. 96** : ANQ-Q, P 519 ; **p. 97** : a : ANQ-Q, P 718 ; b : ANQ-Q, P 519 ; **p. 98** : a : photo PIC, ANQ-Q, P 718 ; b : photo Roland Lemire, coll. Victor Bouchard ; **p. 99-100** : ANQ-Q, P 718 ; **p. 102** : voir p. 90 ; **p. 103** : Archives nationales du Québec à Trois-Rivières, P30, P5787 (photo Roland Lemire, 11 octobre 1966) ; **p. 104** : ANQ-Q, P 519 ; **p. 105** : a et b : photo Marc Couture, coll. François Magnan ; **p. 106** : ANQ-Q, P 519 ; **p. 107** : photo Radio-Canada, Archives de l'OSQ ; **p. 108** : photo Légaré et Kedl, ANQ-Q, P 519 ; **p. 109** : photo David Bircher, ANQ-Q, P 519 ; **p. 110** : a : photo David Bircher, coll. François Magnan ; b : photo David Bircher, ANQ-Q, P 519 ; **p. 111** : photo Radio-Canada, Archives de l'OSQ ; **p. 112** : *Le Soleil* ; **p. 113** : ANQ-Q, P 519 ; **p. 115-116** : photos Jean-Marie Villeneuve ; **p. 117** : Archives de l'OSQ ; **p. 120** : Archives de l'OSQ ; **p. 122** : Archives de l'OSQ ; **p. 123** : photo Raynald Lavoie, *Le Soleil* ; **p. 124-126** : Archives de l'OSQ ; **p. 127** : photo Jean-Marie Villeneuve ; **p. 128** : ANQ-Q, P 519 ; **p. 129** : photo Denis Larocque ; **p. 130** : photo Marc Vallerand ; **p. 131** : photo Michel Bourassa, Service de l'audio-visuel, Université Laval ; **p. 132** : photo Raynald Lavoie, *Le Soleil* ; **p. 133** : photo Denis Larocque ; **p. 134** : photo Richard Cloutier, *Le Journal de Québec* ; **p. 135-136** : photos Kedl ; **p. 137** : photo Clément Thibeault, *Le Soleil* ; **p. 138** : photo René Baillargeon, *Le Journal de Québec* ; **p. 139** : photo Yvon Mongrain, *Le Soleil* ; **p. 140** : photo Denis Larocque ; **p. 141** : photo Yvon Mongrain, *Le Soleil* ; **p. 142** : a : Archives de l'OSQ ; b : photo Yvon Mongrain, *Le Soleil* ; **p. 143** : photo Jocelyn Bernier, *Le Soleil* ; **p. 144** : photo Jean-Marie Villeneuve, *Le Soleil* ; **p. 145** : photo Raynald Lavoie, *Le Soleil* ; **p. 146** : photo Jocelyn Bernier, *Le Soleil* ; **p. 147** : a : photo Gilles Fréchette ; b : photo Jean-Marie Villeneuve, *Le Soleil* ; **p. 149** : photo Jean-Marie Villeneuve, *Le Soleil*.

# TABLE DES MATIÈRES

# TABLE DES MATIÈRES

## CHAPITRE V